吳淡如

Love In A Mist

# 愛在曖昧不明時最美麗

愛情未成定局，允諾尚待說出，你猜測我的心，我推度你的意。
愛在曖昧不明時最辛苦也最美麗。

# 這一夜我只想喃喃自語

我只是，想寫一些不那麼正常的愛情故事，結局最好也不要太通俗。

不那麼教仁教義，不那麼溫柔敦厚，不那麼中規中矩。

因爲對現實的世界來說，連想像力都不是眞正自由。我們的想像力，其實像一隻從小被關在籠中的畫眉鳥，偶爾會和隔壁籠子裡的鳥競賽歌喉，偶爾向藍天白雲挑釁般的高歌一首，但無論怎樣努力的拍擊翅膀，飛起一下，就會撞到框框。

---

没有目的的喃喃自語，

無須太理性的講道理，

這是我一夜風流的另一種方式。

生活有很多框框，有形的無形的，天生的後來的，別人給的和自找的，來自權利的及來自義務的，道德的和不道德的框框。

我一直想讓自己的想像飛過某些柵欄，雖然我明知，那些框框，明明在那裡。

幻想著從未得過的自由是一種幸福，幻想著想像力並不受任何拘束是一種挑戰。讓我的腦袋裡常出現各式各樣的遐想，使我看來像發呆一樣，我最最珍惜我僅餘的這一點天真。

我想有些一夜風流的故事是美麗的，不必讓所謂的道德觀來唾棄。

我想有些誘惑是人生最值得珍藏的記憶，我想，出軌是危險的遊

戲，但不一定庸俗無禮。

我想，有些愛情是因爲它的短暫而美妙，好像龐大的管弦樂團在一陣和鳴過後，忽然衆弦俱寂，小提琴寂寞的拉出清脆而孤單的聲音，伴隨著惹人愛憐的寂靜。

我想，有時放蕩只是一匹馬稍微脫掉轡繩馳騁，不必是你想的淫蕩到難以駕馭，生活不必處處帶把別人送你的尺，時時丈量自己。

我想，每一個人都可以有自己一輩子不坦誠的秘密，每一個情人也能單獨擁有不向戀人告白的過去。

我想，活著眞是不容易，活得開心更不容易，活得讓愛你的人開心自己又開心又更不容易，但即使人生無憾美滿，事事周備，或者還

---

沒有目的的喃喃自語，

無須太理性的講道理，

這是我一夜風流的另一種方式。

子孫滿堂——有多少人的『無憾』是不強顏歡笑的呢？

我想，我想，我的故事都是『我想』寫的，也許都是妄念。我的妄念演奏了這些小小的故事，假作眞時眞亦假。

凡是愛情故事，都與人家所說的貪嗔癡脫不了關係。

我想讓這些小短篇比從前我寫的故事更貪、更嗔、更癡，雖然我一飛高，還是不免撞上那些框框。

迷戀於寫故事的人，本來就沒有什麼『定靜慧』的修爲。當我寫故事時，彷彿有熱的血通過我的脈搏，每一個紅血球都携帶著最滾燙的欲望。

像籠中的畫眉鳥想飛出籠子的欲望。

第一篇故事，在加勒比海的遊輪上動筆。

多麼簡單的生活，每一天，被安排好的三餐，清一色的度假男女和藍天碧海，我以爲我可以好好把自己從寫稿的欲望中拯救出來，放鬆筋骨，淸靜無爲，做日光浴。沒想到在單調的生活中，我源源不絕的念頭像地熱一樣，無可抑止的冒出滾滾白煙。

於是我在不斷晃動的船身中，面對被我畫出格子來的筆記本，用我的多種念頭，塡裝它的空白。各國的紅男綠女在我眼前遊戲著只有歡言笑語的人生。

多麼貼切的華美場景，多麼適合寫一些沒有目的、只是故事的愛情，我在度假中勤奮的編織起一些可愛和可笑的夢。

沒有目的的喃喃自語，

無須太理性的講道理，

這是我一夜風流的另一種方式。

我告訴自己，我想寫，像春天的雪崩一般無可避免的激情。

像櫻花在最燦爛的時刻必須隨風告別枝椏的宿命。

像咖啡，你要在它熱騰騰的時候啜飲它的香醇，不然，待汁液冷卻後你再喝它，那種感覺，是忍受而不是享受。

生命中有很多美好的東西得用『活在當下』的心情欣然享受，爲什麼唯獨愛情，我們要期待那麼多，看得那麼重？非要把它擺在我們自設的博物館中長久收藏或供人展覽不可？

愛情之中美好的東西很多，爲什麼你惦記的總是最後有沒有結果？

美好的是溫柔的吻、心有靈犀的微笑和情人的體溫，是在期待中

響起的電話、沒有實際意義的問候和怦然心動的挑逗，是沒有約好卻一起說出口的一句話，是沒有辦法挪開視線的灼熱眼神。

可惜這些東西，都得和時間抗爭。

這一夜，沒有溫柔的吻，沒有情人的體溫。只有一疊已經吃飽了的稿紙，和我剛剛卸下翅膀的想像力。

這一夜，我只想喃喃自語。

沒有目的的喃喃自語，無須太理性的講道理。

這是我一夜風流的另一種方式。

---

沒有目的的喃喃自語，

無須太理性的講道理，

這是我一夜風流的另一種方式。

# 目錄

Con-
tents

# In A Mist

也許有一天你將不再愛我，
也許有一天我們音訊全無，
但無論經歷，火與冰，
我將會牢牢記住，
你枕上的影子。

..................Dudley Randall

Love

## 曾經有過心

《懺情詩之一》

相聚時光短暫，我們愛得瘋狂，
之後你躺在黯淡微光中，
累了，倦了，表情卻無窮，
我把你枕上的側臉細細打量，
那微妙精緻的影子啊——
仍像個長不大的孩子。

# 雪的可能

愛上妳，是一件很美好的事……
那是他僅存的一個秘密。

他根本搞不清楚，自己怎麼會愛上她的。但如果搞得清楚，那就不叫愛情了。

好像在空無一人的鄉下道路上開車，眼睛正疲倦於單調的景物時，忽然之間，被迎面急速駛來的一部幽靈似的車，嚇出一身冷汗。

然後，他的人生浮出一大堆疑問，比如：他爲什麼要那麼早結婚？（其實八年前他就該問自己這個問題。其實，八年前也不早了。）還有，他的一生就得按原來乏味的軌道生活下去嗎？儘管他已有一百萬

次想突破現狀的意念，他還是忍不住猶豫。是的，他不能，他應該負責的已經不只是自己，他有家有室，是一個小男孩的父親，每個月要繳嚇人的房屋貸款和會錢，要應付工作上一波未平一波又起的人事鬥爭，要爲自己退休以後（雖然那是很久很久以後的事情）存一筆錢，他還曾答應結婚三十年時，帶他的妻子去環遊世界，他是個重然諾的人——

但他也是個普通人。他不能作任何決定，因爲他根本不確定，她願不願意順服他的決定。她太難掌控，如果他認識的所有女人都像貓，她就是一隻雲豹，稀有而且野性難馴。

那是他僅存的一個秘密。

---

愛上妳，是一件很美好的事……

那是他僅存的一個秘密。

他從中南美洲回美國，和她在差不多時間搭機回台北，飛機在紐約因爲大雪而停飛。他剛打完電話，說會晚些日子才回家。『雪很大，是歷年來美國東部最大的雪，眞糟糕，不知道要下到什麼時候？替我親寶貝一個，說我會帶禮物給他，ＯＫ？抱歉了。』

掛上電話，一回頭，一個東方女人站在他背後，向他借銅板打電話。他從她的英文中嘗出了台灣味，於是問她：『妳也搭不成飛機？』

她面帶尷尬的笑道：『不只搭不成飛機，我還把身上的現金都用完，卡也快刷爆了，我沒想到，才轉機轉到這裡來，就大雪紛飛。』

他滿懷同情心的等她打完電話。她撥的號碼似乎都沒人接，沮喪的回過頭向他說謝謝。他發現她清秀的臉龐有一種憂鬱的美，而美麗

的女人在何時何地都會惹人生憐，何況是在她落難的時候。

『餓了嗎？』他問。她羞澀的點點頭。『如果暫時沒有人來接妳，我請妳吃一頓飯如何？不必客氣。』

機場宣佈，今天所有的飛機是飛不成了。於是他和她相偕走出機場。他很快的找到機場旁的一家飯店，這個決定眼明手快，因爲櫃台職員不久便以充滿歉意的眼神對他身後的旅客說抱歉。

吃完飯後，他知道她的名字叫Sherry，姓孫，她是唸織品服裝的碩士，目前是一家服裝連瑣店的專案採購，她有微黑的膚色，彷佛有陽光的溫度，和一雙靈活的單眼皮眼睛，混合著精明和迷糊的眼神，纖細的身體中好像飽含豐富的能量，言談之中一直對『白吃』這頓飯

---

愛上妳，是一件很美好的事……

那是他僅存的一個秘密。

表示歉意。她沒有問到任何有關他個人的私事，他只提到他是某家工程公司的專員，隻身出國已是家常便飯。

吃甜點的時候，她提供他一則笑話，是她在大陸搭飛機時發生的。

『我旁邊坐著一個台商……，當我正在喝烏龍茶時，身材曼妙的空中小姐忽然走到他身邊來，用嬌滴滴的聲音問他：「先生，您需要伴侶嗎？」我大吃一驚，以爲連色情交易都做到空中來了，那個台商也是一陣愕然。空中小姐又輕擺柳腰走了回去，再走過來……你猜，伴侶是什麼東西？』

他想了很久，搖搖頭。他是個老實人，很少猜中什麼謎語，只是專注的看著她。

『原來大陸人管coffeemate叫咖啡伴侶，並沒有任何曖昧的意思……』

他這才點頭笑了。她說她得去打一通電話試試運氣。兩分鐘回座後，從她的表情他就可以看出結果。『打通了，可是，風雪太大，我的朋友們，沒法冒生命危險來接我……』

他愣了一下，然後結結巴巴的說：『如果妳不……不在意……旅館房間裡有一張沙發……我可以睡沙發……床……讓給妳，妳千萬可以……放心，我從不……不佔便宜……』

『不知怎麼感謝你。』她說，回國後她可以把一半的住宿費還他，他當然說不必。

---

愛上妳，是一件很美好的事……

那是他僅存的一個秘密。

分明搭機搭得很疲憊，但他在沙發上翻來覆去睡不著。大約過了半個鐘頭吧，他忽然聽到她朦朦朧朧的聲音：『你要睡過來嗎？』

他輕輕的坐直身子，在黑暗中偷覷她的表情，窗外是紛飛大雪，棉絮一般的飄落。天空的顏色，是加了蛋彩的深藍色——她在說夢話嗎？她的側臉看來那麼平靜，像雪。

於是他又擁被睡下，心頭像被火爐烘烤著，才閉上眼睛沒多久，一股熱流撫觸著他的肌膚。那是一個柔軟的身體。多少年來他早就失去那樣的悸動，那種忽然被引爆的感覺，無法理解的燠熱。多少年來，當他與他的妻的床笫情事變成例行公式之後，這個時刻他忽而憶起久久以前初次的熱情。

她沒有任何挑逗的舉動，只是依著他。他又說了話：『我……我是個有婦之夫……妳……妳妳……總會吃虧的……』

她一定聽到了，但沒有答腔。他又說了一次，才聽見她貼近他的耳朵，說：『沒關係。』

之後是他一生都沒經歷過的夜晚。她像雪在他懷中融化，他則像個從未做過愛的血氣少年，一次又一次的吸吮她的唇、她的頸、她的每一公分的肌膚，她皮膚上微微搔癢他的細毛。

雪仍然無聲無息的下，一直到天明，雪未停，人未寐。他捨不得離開她一寸，不知什麼時候，他才昏昏沈沈的睡著。

睜開眼時，一切彷彿沒發生過，他仍躺在沙發上。床上的被套依

愛上妳，是一件很美好的事……

那是他僅存的一個秘密。

舊像沒動過一樣，如果不是枕邊的那張紙條，他會以爲自己做了一場春夢。

Dear：

遇到你是一件很美好的事。

Sherry

眞糟糕！雪似乎已經變得稀落了，他急忙穿上衣服，到機場等飛機。他到處張望，上飛機後甚至巡迴全機，遺憾的是，沒有她的影子。

他忘記自己到底有沒有告訴她，他叫什麼名字，很確定他忘了給

她名片，他多麼希望，大雪永遠下不停。

過了一整年，他仍在想，那一個夜晚，那一件除了她和他沒有人知道的事。他的妻並沒有發現，他不時以悵然的眼神看著天空，也不會發現，那麼多問題曾在他心中踟躕，他至少想告訴她：愛上妳，是一件很美好的事。

愛上妳，是一件很美好的事……

那是他僅存的一個秘密。

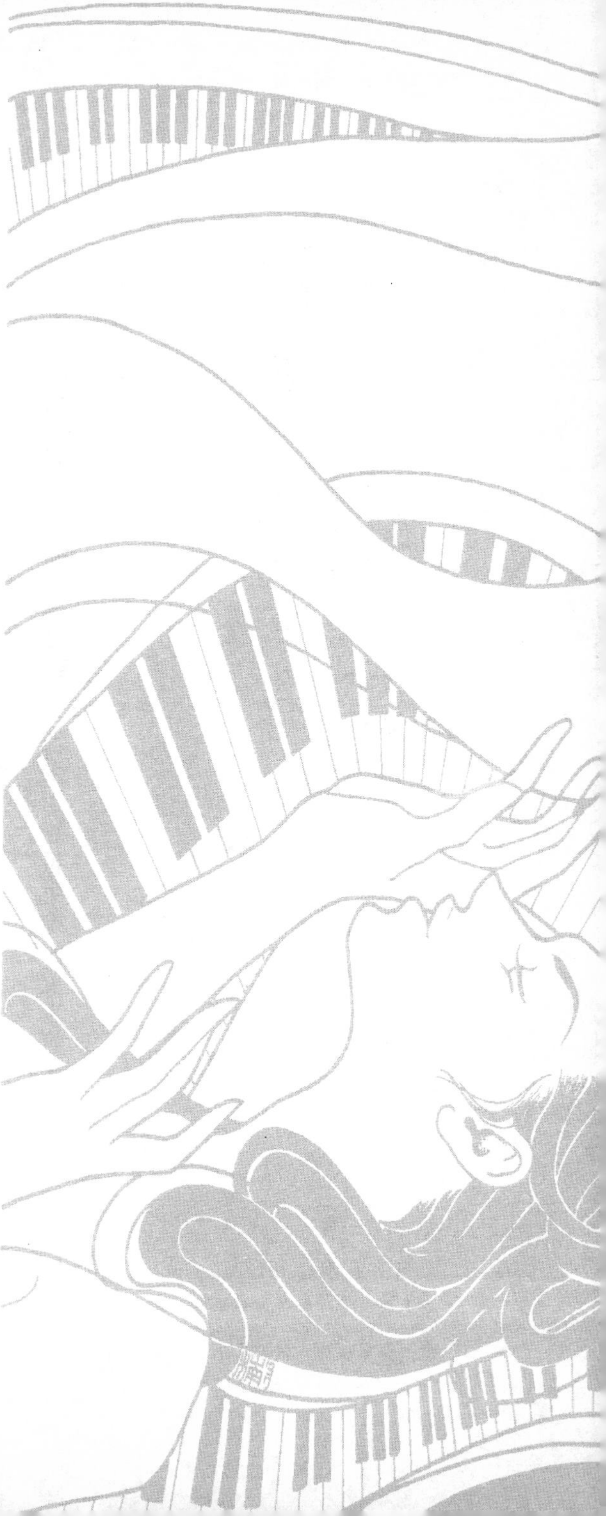

# 鋼琴師和她的情人

他記得她的手多麼潔白而纖長，
在鍵盤上跳躍著，輕巧的彈奏莫札特的A大調第十一號鋼琴奏鳴曲。

他想，這一天大概已經沒有機會，對她說愛她。

他曾經那麼愛她，而且愛了那麼久，打從十歲那一年，她即走入他的生命，直到他十八歲。雖然他從六歲開始學琴，但卻是在認識她那年，他才漸漸愛上鋼琴。鋼琴對他的意義轉了個彎，不再只是爲他的父親圓夢，它成了他的白日夢。

他還記得，放學後想來上鋼琴課焦急的心情。如今他的心一樣跳得很厲害，當他慢慢走近她的房間。空氣中仍是淡淡的茉莉花香。

她的特別看護說：『睡著了，別吵她——不過就算你叫了她，她也不一定認得你。』

他的心一緊，忽然領悟到命運的殘酷。那是比貝多芬的命運交響曲更深沈憂鬱的旋律。

一步一步沿著茉莉花香水的氣息走到臥室，他記得，她總在床單和枕頭上灑下大量法國香水，在那個連明星花露水都是市井小民的奢侈品的那年代，她確實是個奢華得令人炫目的女人。他的母親那一輩的女人傳說，有個不曾出現衆人面前的富商在供養她，也許，不只一個。否則，教鋼琴的學費雖然多，也不見得能使她如此錦衣玉食。他

---

他記得她的手多麼潔白而纖長，

在鍵盤上跳躍著，

輕巧的彈奏莫札特的A大調第十一號鋼琴奏鳴曲。

母親那一代的女人，最愛這種議論。

但他已不是當年少不更事的少年。多年來，他留在美國，步上她的後塵，成爲大學裡知名的鋼琴教授。他年未四十，額前已有幾綹白髮閃閃生輝。這次回國，竟是回來奔父親的喪，父親因心臟病走得突然。喪禮中，他遇到從前一同拜師習琴的女同學——那中年女人老早忘了鋼琴，卻仍記得他，對他說：『以前我們的老師，前幾年得了阿茲海默症，你還記得她嗎？』

老人痴呆症？久久未曾有鋼琴老師的消息，他這一驚，比聽得自己父親去世還激動。父親和他相見時，痛苦總多於快樂，他沒親侍在旁看父親走，他想，父親也不致太遺憾，也許少說一句『沒出息』而

已。

父親讓他習琴，卻沒想到，他選擇鋼琴當人生志業。在老一輩人的眼裡，那是沒出息。尤其，他是獨子。

多古怪的一件事啊，當不苟言笑的父親開口說，要送六歲的他學琴。

剛開始他掙扎對抗，因為單調的練習曲確實無趣，老師也無愛心。母親哄，父親罵。

直到十歲那年，父親忽然把他送到這位美麗的女老師跟前。

『叫玲子阿姨。』

『叫姊姊就好。』他抬頭看著她美麗而秀致的臉龐，如同在教堂

---

他記得她的手多麼潔白而纖長，

在鍵盤上跳躍著，

輕巧的彈奏莫札特的A大調第十一號鋼琴奏鳴曲。

中，仰望聖母圖像。她輕聲的笑，眼睛瞇成一縫，洩出柔柔的光。父親竟也在笑，笑著看她，說：『妳少開我玩笑，這是把我比老了。』

父親在家很少笑。

傳說自小家教謹嚴的父親，在日本時代也學過鋼琴。他實在很難把父親的尊榮和鋼琴清脆柔美的聲音聯想在一起。

傳說父親和他的鋼琴老師曾向一個老師學鋼琴，他們當時都屬名門望族。

也傳說玲子老師曾在她父親安排下結過兩次婚，第一個丈夫死於肺病，第二個丈夫只是個貪圖她美貌與家財的酒鬼，後來給她父親打發走了。從此，玲子獨居，靠父親和第一個丈夫給她的錢過日子。

他記得她的手多麼潔白而纖長，在鍵盤上跳躍著，輕巧的彈奏莫札特的A大調第十一號鋼琴奏鳴曲。

一個孀居的美麗女子在那個昏暗的時代是一枚驚嘆號，而像他母親那樣的尋常主婦只是一個又一個的逗點。

她的手依然纖長，只是佈滿了蜘蛛網一樣的細紋，那是歲月的勒痕。

他執起她的手，她睡得很安穩，似乎未曾察覺。特別看護說，近來她已難得清醒，可能快了。

快了，快了。她那曾在琴鍵上奔跑彈奏月光曲的靈巧手指，彷彿在頃刻間就要在他的手掌裡化成灰。

---

他記得她的手多麼潔白而纖長，

在鍵盤上跳躍著，

輕巧的彈奏莫札特的A大調第十一號鋼琴奏鳴曲。

『玲子，玲子。』這一次，他沒有叫她老師。現在的她比他想像中還老，腰肢盈盈一握的身材，變得瘦骨嶙峋。他逐漸進入青春期的那段時間，她開始大量喝酒。他問她為什麼？

『你不會懂的。你還小。』

他感覺到玲子看他的眼神和看其他學生不太一樣。她的眼光總是在他的臉上停留得久一點，不，久很久，用一種複雜的眼神凝視他，有時，在他獨自與她練琴時，她的指尖會不經意的滑過他的鼻尖，說：『我最喜歡你的鼻子，很挺的鼻子，不過，有這麼高的鼻子的男人，是很無情的。你的鼻子很像你爸爸。』

無情？他可不覺得自己無情，無情的是她。他的父親無情嗎？也

不見得。在他母親口裡，他的父親是個顧家又正直的男人。自小像千金小姐一樣自尊甚高的母親，在他父親身畔，總是謙卑的，像仰望一座雕像。

母親從不跟父親吵架，除了十七歲那一年。他在玲子家練習莫札特降E大調雙鋼琴協奏曲，耗了大半下午，走入家門時，耳朵裡還充滿著他和玲子四隻手的彈奏的琴音。管家忽然衝出來，說他母親和父親吵架後，自己拿刀往胸口捅，現在正在醫院。

傳說他父親有了外面的女人，但母親沒說，是因爲什麼事情。家中不久即恢復了平靜，詭譎的平靜，不久母親以他唸高三要努力應付大學聯考爲理由，將他遷往台北的私立學校住校。

---

他記得她的手多麼潔白而纖長，

在鍵盤上跳躍著，

輕巧的彈奏莫札特的A大調第十一號鋼琴奏鳴曲。

他倉卒向玲子告別時，踩著一地槭樹的落葉而來。玲子打開門時，醉醺醺的，兩眼無神，不似平日的溫柔笑語。他扶她到沙發上坐下，爲她拭去一臉殘粧，像個大人一樣，問她爲什麼，她沒有回答，卻哭了：『我……眞的很寂寞。』她哭得悽慘。他知道，他說，他一直都知道，迅雷不及掩耳的吻上她的唇，瘋狂的擁抱她。她柔軟的身體顫抖著，那麼無助。

夜深時他才離去，戀戀不捨的離去，他離開時，她跟現在一樣，睡得很深，好像永遠不願醒來。

空氣中淡淡的茉莉花香和那一夜一樣。而他從怔忡少年變成憂愁中年，轉眼。

以後，不管他如何瘋狂的按她的門鈴，她都不肯開門。傳說她喝酒喝得更兇，也不肯再教學生了。

他打開她房間那架古董三脚鋼琴的琴蓋，企圖告訴玲子，他回來了。彈什麼好呢？任何一首曲子，比不上他曾和她默契絕佳一起彈奏的莫札特降E大調雙鋼琴協奏曲。

他習琴的往事歷歷在目。他專注的彈著屬於他的那一部分，她的那一邊，由記憶中的琴韻擔綱。

就在他彈到第三樂章輕快活潑的快板節奏時，他忽而發現她的手指輕輕的挪動著，好像空氣中有一架隱形的鋼琴。

他彷彿聽到川流自她指尖的樂音，既飽滿又輕快的聲音。

---

他記得她的手多麼潔白而纖長，

在鍵盤上跳躍著，

輕巧的彈奏莫札特的A大調第十一號鋼琴奏鳴曲。

『璞生，璞生。你愛我嗎？』她輕輕喚著。聲音細若松針，但他聽得好清楚。

因爲璞生，是他父親的名字。這一秒鐘，他洞然明白一切前塵往事。

# In A Mist

我靜靜的，絕望的愛著你，
有時為我的羞怯而苦惱，
有時又因嫉妒而暗自神傷，
我愛你竟是這麼溫存，這麼專一，
啊，但願那人愛你，也跟我一樣。

..................A. Pushkin

Love

# 難以說分明

《懺情詩之二》

我曾愛過你；
也許愛情的火焰在我心中，還未完全止熄，
可是，我已經不願讓我的愛
使你憂鬱。

# 棉花糖

她的愛情就像棉花糖，
她那麼渴望擁有，但吃起來卻空空洞洞的，好空虛……

瑞媛完全沒想到事情會變成這個樣子。

『我們的價值觀不同，人生觀也不一樣，妳知道的，妳很早就知道，我們不可能會天長地久。對嗎？』古立德背對著她說，她轉過頭，手中正在洗的碟子忽然掉在磁磚上裂成兩半。原以爲他說『今天我會回來吃晚飯』，表示他對她舊情復燃，現在她知道了，再精心準備的菜餚也餵不飽男人那顆想溜之大吉的心。

『我把我的東西收一收，妳忙妳的，待會兒有人來接我。』他的

聲音和臉孔一樣一無表情。

有人?瑞嫒很想大聲喊叫:『難道你連分手都不給我一點面子嗎?相愛了一年,你竟然完全不了解我的感受?』但她沒有,只是默默的聽著水龍頭裡的水,嘩啦嘩啦流過她的手,激起透明的水泡,又很快的消失了。

果然是那個女人來接他,不久紅色的跑車在樓下急促閃著燈。古立德說:『再會了。』就這樣走出同居一年的生活。瑞嫒責備自己,早知道他是個浪子的,不該對他太好,這一年,他吃她的用她的住她的,他是國王,而她一直是個爲愛賣身的女僕。

『也許他走才是好的。』但瑞嫒一時難以安慰自己,她還沒時間

---

她的愛情就像棉花糖,她那麼渴望擁有,

但吃起來卻空空洞洞的,

好空虛……

準備好要心碎。她抓了一把安眠藥，伴著啤酒喝下肚子，她又恨又氣，詛咒自己別再見到明天的太陽。專科畢業後來台北謀職，當幼稚園老師時，她還是個清清白白的小鎮女孩，在朋友介紹下認識古立德，意亂情迷，三天就跟他上了床。其實那時她早該知道他們的價值觀不一樣了。他發現她是處女後，有點慌亂，問她：『妳有沒有避孕啊？』她哭了，問他：『你會不會繼續愛我？』

完全沒有交集。她痴痴求他繼續愛下去，讓他搬進她租來的房子裡。

不知道過了多久，她醒來了。是暑假，沒有人在意她睡了幾天幾夜。身體的虛弱使她尋死的決心越來越堅強，但是，她想，總該回家

一趟。她家住在中橫宜蘭支線的蘭陽溪畔，回家要轉幾趟車。她已經很久沒回家了，爲了古立德，她甚至騙家人說，她的住處沒有電話。

正是深秋，芒花在河床旁邊翻落著銀白色的浪，讓人懷疑是雪。這是她小時候最愛來玩的地方。她沿著小徑走回家，天色慢慢暗了下來，古老的磚房裡只有一盞小燈。門是從來不鎖的，她推開門，看見她爸爸。

『要回來怎麼不先打電話？妳媽到花蓮看妳姊姊去了，她的二個囝仔輪流感冒，照顧不來。』

她好想抱住她的父親說，她錯了，她完了，她對不起大家。她眞的是這麼想的，雖然她的這一段愛情自始至終與大家無關，古立德從

---

她的愛情就像棉花糖，她那麼渴望擁有，

但吃起來卻空空洞洞的，

好空虛⋯⋯

沒來見過她家人，她家人也不知道這號人物。因爲他們不會喜歡古立德的，瑞媛用膝蓋想就知道。古立德那副吊兒郎噹的樣子，絕非她父母心目中的『好尪婿』。

『臉色不好哦，』她父親一向沈默寡言，也不體貼人意，是個標準的大男人。但這一次看她一眼，就說了這句話。『工作莫太累，錢愛賺，身體也愛顧。』

她顧左右而言他：『沒啦，爸，你在衝啥？』

『我啊，在修棉花糖的機器。妳記得嗎？以前廟會，阿爸賣棉花糖賺錢……』

『記得啦。』她怎會忘記？阿爸賣棉花糖，卻從來不給她吃，說

那東西沒營養，小孩吃多了會營養不良。可是，阿爸卻把一根一根漂亮的粉紅棉花糖賣給其他的小孩，她一向乖，不敢吵著要，因為哥哥姊姊吵著吃時，曾被阿爸追打過。

對於一般孩子來說，棉花糖是節慶時的獎品，對她來說，是她的學費。阿爸這樣拉拔大五個孩子，否則家裡那幾分惡土薄田，哪裡夠生活。

『現在閒閒，把它修一修，說不定還可以用。』幾年前，阿爸風溼痛後，就沒有再出去賣棉花糖了。這跟家裡的經濟情況已經轉好也有關係。瑞媛是老么，當她開始賺錢後，她的父母已經可以享福。

『還要做生意？』她問。『沒必要吧？』

---

她的愛情就像棉花糖，她那麼渴望擁有，

但吃起來卻空空洞洞的，

好空虛……

『沒囉。我是想在鄉公所的遊園會義賣棉花糖，』她爸得意的說。

『做好了，要吃一根嗎？』

第一次，她爸問她要不要吃棉花糖。

她接過機器修好後的第一根棉花糖。舔了一口，細細的糖粒黏在她的舌頭上，它看起來比嚐起來好吃，她想起她和古立德的愛情。她那麼渴望擁有，是的，但吃起來，空空洞洞，有點甜，可是吃起來好空虛，好像什麼都沒有。

『好吃嗎？』她爸問。

瑞媛乖巧的點頭。

『騙肖！』她爸笑了，『棉花糖是不好吃的，而且沒營養，好看無

路用。喂，餓了沒？我煮剛剛挖的蕃薯給妳吃，卡實在啦！將來找尪，若是找到親像棉花糖，吃一次就好，不要一直吃，是吃不飽的，要找蕃薯那一型的啦。知道嗎？』

她爸很少一次說這麼多話。她點點頭。黏黏的淚水把棉花糖打溼，溶進嘴裡，滋味變得鹹鹹甜甜。瑞媛吃完棉花糖，她爸笑問：『還要嗎？』她搖搖頭。一根就膩了，就像她的愛情，她不要了，再吃下去，太膩，古立德養不飽她的胃。她又笑了。

『瘋瘋猾猾！』原來她爸爸一直在觀察她的表情。她爸爸似乎在告訴她，他什麼都知道。『有什麼委屈就回來，知道否？』一根父親的棉花糖，讓她決定再活一次。瑞媛點點頭。

---

她的愛情就像棉花糖，她那麼渴望擁有，

但吃起來卻空空洞洞的，

好空虛……

# 因爲新娘不是我

從來沒想到和他七年的感情會有第三者，
翠衡一時傻了眼，想必新娘一定不是自己。

翠衡看到宏霖和他的新女友步入他的小套房那一剎那，眞希望自己昏過去算了。

想到相處七年的感情就這樣泡湯，雖然幾天以來她一直安慰自己，沒關係，天涯何處無芳草，那個男人，老實說也不是太好。可是還是不甘心啊，到底意難平，否則她就不必大老遠從台北趕到高雄來。

上個禮拜，宏霖專程到台北來找她，她還以爲，這一次他破天荒記得她的生日，準備給她一個驚喜。沒錯，她看到了一把空前絕後的

花，那是一把只適合插在墓前的黃色大菊花，還有她的男人那張心事重重的臉。

虧她為了他要到台北來看她，還用租屋處的克難餐具煮了一頓佳肴，還特地請了一天假。

『沒睡好？這麼累？』翠衡問低頭扒飯的他。

『嗯……嗯……』

『要不要一杯咖啡？』翠衡又問。

『不，不要，我……待會兒有事就要走了。』

『怎麼會……好不容易盼到你來看我，什麼事那麼重要？』

『翠衡我有話跟妳說，』宏霖忽然流下淚來。她心裡有了不祥之

感，果然，『我必須分手，和妳分手，眞抱歉，因爲……我要結婚了。』

『和誰結婚？』從來沒想到自己和他之間七年的感情會有第三者的翠衡，一時傻了眼，想必新娘不是自己，但，她花了那麼多力氣想要逼他求婚，一點效力也沒有，哪個女人有這通天的本事，使他就範？

『妳不認識的人……』他呑呑吐吐的說。

『爲什麼？』爲什麼一個她毫無所知的人會有這麼大的破壞力？

『因爲她懷孕了。』他把頭埋在臂彎裡，說。

這樣她也無話可說了，眼睜睜看歸心似箭的他說要搭機趕回高雄去，只因那頭有個她素未謀面的女人在等他的『好消息』。

『妳保重。』七年感情換來最後一句話。翠衡在失眠的這幾個夜

晚中，一直想的是他們七年來的點點滴滴。他是她上大學來的第一個男友，從大一走到大四，都是人人豔羨的一對班對，他當兵，她上研究所，他放假時兩人如膠如漆；之後她考上公職，在公家單位做事，他說他以她這麼優秀的女友爲榮；他是屛東人，退伍回到高雄，她問他要不要她也跟他回鄉發展，他說等等，等他把基礎打穩，就要她一起過來……

翠衡本來還一直爲自己的美德感到驕傲，她從沒計較過他的學歷，也從來想『以夫爲尊』處處配合，她以爲她的付出一定值得，可惜新娘竟不是她。

翠衡越想越生氣。她決定要去看看他的新娘長得啥模樣，是不是

---

從來没想到和他七年的感情會有第三者，

翠衡一時傻了眼，想必新娘一定不是自己。

三頭六臂。在他的住處附近守了一整個黃昏，到了晚上九點多，才看見他攬著一個女人的腰，有說有笑的走過來。翠衡躲在暗處打量，他的新歡身材短小，皮膚黝黑，一點也不美，唯一能吸引宏霖的，應該是她那比常人豐滿的胸部吧。

宏霖雖然說，不介意女人平胸，但她知道，他從來就有蒐集大胸脯女星海報的習慣。

在蒼白的日光燈下，翠衡靜靜的哭了一會兒。不久，她決定報復。她把腮紅塗得好紅，又把朱紅色的口紅多抹了好幾層。她不要讓他以爲，連分手她也會以他爲尊，一點破壞力也沒有。她敲了他那閣樓小套房的門。他開門，張口結舌：『妳……妳……妳……怎麼會在這

裡？』

黑皮膚的新歡也一臉狐疑的在看她：『小姐，妳找誰？』

可見，宏霖從來沒有告訴這個女人，他有個相交七年的女友。

翠衡倚著門，使出她剛剛籌畫好的招數：『先生，我跟你說，我一次五千塊，你就一定要殺價變一千五，我看一千五你只能找到現在這種貨色啦。』

兩人齊齊瞪大眼睛看著她。『小姐，』她又對裡頭的黑皮膚女人大喊：『妳以後不要打壞行情，這樣不好哦。一千五，不是人做的啦。』

說完，翠衡得意的一扭一扭，誇張的踩著她的高跟鞋走了。

聽說他沒有結成婚。但此後他和那個女人如何，她也沒有再過問

從來沒想到和他七年的感情會有第三者，

翠衡一時傻了眼，想必新娘一定不是自己。

了。

翠衡傷心了一陣子以後，不久又找到了新的人生方向，換了工作，到一家進口商公司負責業務推廣後，她的事業成功替補了感情上的空虛。

成功的女人總是容光煥發，不久，她也有幾個追求者，這次換她小心翼翼，不肯太早定下來。

事情發生在她和客戶在一家飯店附屬的咖啡廳談批發價碼時，一個女人忽然閃到她面前，問她：『我看妳最近在台北混得很不錯，怎麼，價碼提高了嗎？還是薄利多銷？』

她一抬頭，看見宏霖當時的女友，那個皮膚黝黑的女人。

坐在她對面和身旁的三個男人，不明就裏，還對那個女人使臉色：

『啊，妳太了解她了，她就愛對我們抬高價碼，既然我們三個都要那麼多，還是薄利多銷好，對吧！』

從來没想到和他七年的感情會有第三者，

翠衡一時傻了眼，想必新娘一定不是自己。

# In A Mist

我可以感覺你的眼睛正看著我急速遠離的背影，
感覺你轉過身，
看著我跑。

但你不曉得，
我跑，是因為
我無法忍受離開你。

..................Lois Wyse

Love

## 相逢一瞬間

《懺情詩之三》

當我們走到了街道的轉角，
你轉過身子離開，
我不是。

我跑，
儘我所能，快快的離開你。

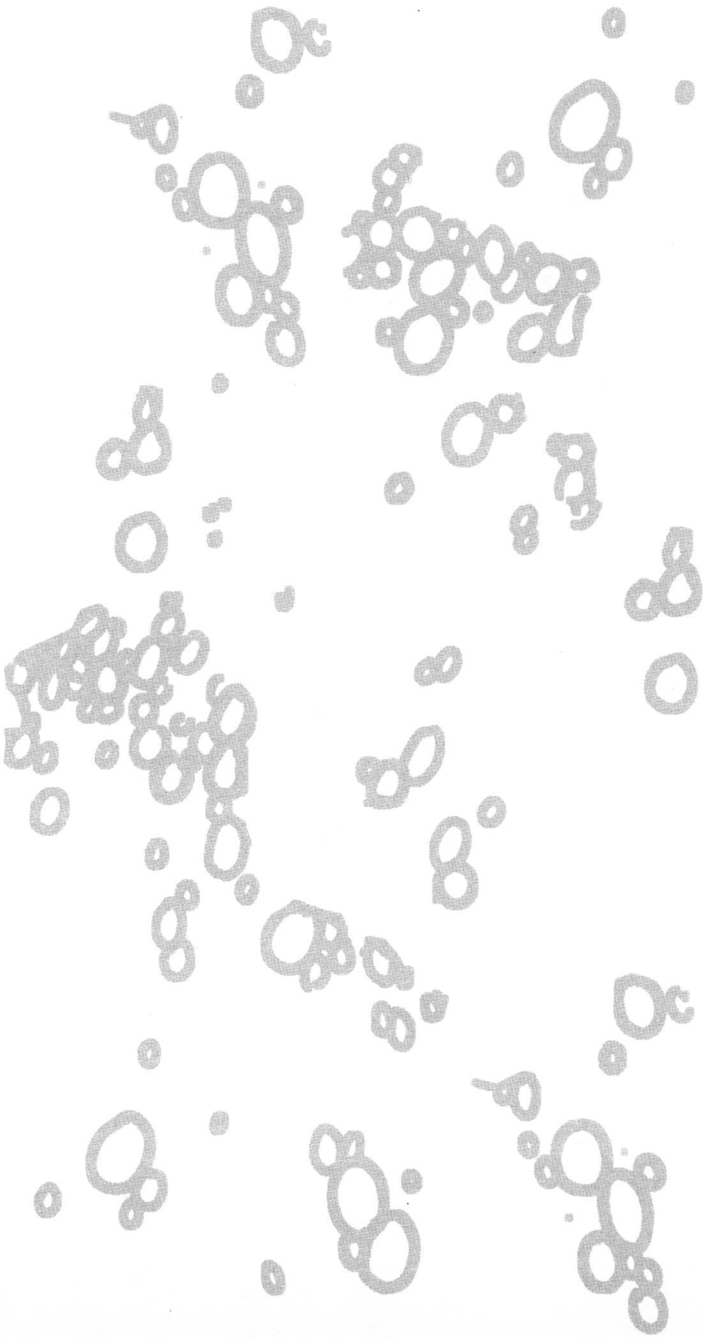

# 垃圾姻緣

他會提出這個小小的邀請，
一半是因為垃圾，但一半也是因為……

元昊在很無奈的狀況下認識佳陵。

他住巷頭，她住巷尾，如果不是爲了台北市新的垃圾定時定點收集制，他們可能一輩子都會當陌生人，儘管，一再的擦身而過。

夜黑風高卻暑熱難捱的夜裡，元昊忍住作嘔的感覺，手提著兩袋垃圾，拚命往前衝。他想一定是因爲他不是美女的緣故，所以淸潔隊隊員很酷的關了垃圾車的嘴巴，對他喊道：『時間到了，明天再來吧！』

『太可惡了！』元昊咬牙切齒的站在十字路口，一時之間覺得天地茫然，不知何去何從。房子裡的垃圾三天沒倒了，小小客廳的味道比廁所還難聞，眞不知道他的同居女友雅玲怎能耐得住？雖然兩人說好，倒垃圾是他應盡的責任，可是她又盡了什麼義務？他出差了兩天，她寧願讓客廳臭氣薰屋頂，也不肯替他倒一下，未免太計較了。她說她忙，元昊搖搖頭，他不相信，她頂多忙著逛街。身上穿再漂亮有什麼用，家中臭不可聞，啊，女人，眞是表裡不一的動物。

『垃圾車走了嗎？』一個微弱的聲音在他背後隨著一陣『腥』風傳送而來。元昊轉過頭，看見一個瘦伶伶的女孩子，她的手裡拎著一大袋垃圾，可憐兮兮的問他。

---

他會提出這個小小的邀請，

一半是因爲垃圾，

但一半也是因爲……

他點點頭，虛弱得沒力氣開口說話。不過，呆立街頭，感嘆『大丈夫男子漢竟然也得出來追垃圾車』的他，看到另一個也被無情的垃圾車拋棄的人，心裡至少好過了點，人人都希望自己倒楣的時候有人陪。

元昊一點也不想再把垃圾運回去。他又自言自語了起來：『××的什麼垃圾定時定點收集制？這對我們這種事業有成的人簡直是一種虐待，誰有那種閒工夫天天等垃圾車？我又不是無聊的家庭主婦，可以趁等垃圾車的時間順便東家長西家短！哼，如果我不是自詡為K黨最大反對者的話，我下次絕對不要投給陳××！』

他靈機一動，忽然想到一個絕妙的點子。附近不是有個小公園嗎？

小公園裡不是有個垃圾桶嗎？把垃圾倒進小公園的垃圾桶，既可達成目的，又不干犯法紀。嘿嘿嘿……

躡手躡腳先去觀察地形時，元昊發現有人跟他心有靈犀一點通，剛剛那個女孩，正吃力的把一大袋垃圾往桶裡塞。他見義勇爲的向前，對她說：『我幫妳！』

女孩先是嚇了一跳，後來，看清楚他身後也帶著兩大袋垃圾之後，對元昊投以感激的眼神。兩人自以爲神不知鬼不覺的清完手中垃圾包後，元昊問她，要不要一起在公園門口的小吃攤吃豆花。他會提出小小邀請，一半是因爲垃圾的緣故，但一半也是因爲，在街燈下他仔細打量了女孩子，她約莫二十五歲，容貌清秀，微笑甜美。

---

他會提出這個小小的邀請，

一半是因爲垃圾，

但一半也是因爲……

『你都自己倒垃圾？』女孩問。元昊點頭。女孩想起自己『坎坷』的日常生活，她的男友，哎，賴住在她租來的小閣樓也就罷了，還一點知恥心也沒有，每天把她的住處弄得亂七八糟，簡直像個垃圾場，一進了她的房子，就像個屍體一樣，怎麼喊也不動，有潔癖的她跟在他背後撿垃圾，原本曾經驚天動地的愛情變成了一個餿掉的蘋果，散發著難以忍耐的霉味。

『妳也是嗎？』

嗯。『一個人住？』嗯。她低著頭吃有薑味的豆花，是的，她眞希望只是一個人住，眞不想再回去看到男友，他正在專注的打電動玩具，就算從背後勒死他，他大概也不會有知覺。可是她沒有辦法清楚的把自己的想法對男友說，『你不要再來找我了，我跟你生活習慣大大不同

——』她想說，可是她怕寂寞，她還沒有把握是否能一個人過。

『你一個人住？』

嗯。元昊也在說謊。在陌生人面前最大的好處是，你可以不要說眞話。元昊忽然恨起雅玲來，她說她跟朋友去PUB喝酒，很晚很晚才會回來。『你看來像個新好男人。』

『這是讚美嗎？』他朝她一笑。老實說，他一點也不想當什麼新好男人。新好男人連抱怨女友的權利都沒有，這個名詞意味著男人得做牛做馬，毫無怨言。

『對不起。』女孩羞澀的說。『我是善意的，我是說，要找到一個勤快的男人，眞難。男人好像覺得……覺得要他們分擔點家事，就會失去男性尊嚴似的……』

---

他會提出這個小小的邀請，

一半是因爲垃圾，

但一半也是因爲……

『我倒不這麼想，』元昊挺起胸膛：『眞奇怪，我也覺得賢慧的女人越來越難找了，據我觀察，每次垃圾車來的時候，我們這條街提垃圾出來的男人比女人多……』

『眞的？』

兩人一直聊了一個多鐘頭才告別。她說：『我叫胡佳陵，幸會。』一回生二回熟，第二個禮拜，倒垃圾對元昊而言變得不那麼苦不堪言，他發現胡佳陵會在九點四十五分的時候出來倒垃圾。但他並沒有明顯的注意到，胡佳陵每次出來倒垃圾都穿得很漂亮，塗了口紅，上了睫毛膏，也常穿上剛買的新衣服，在『垃圾盛會』中亮相。

第三週，他在丟掉垃圾後開始請她到附近PUB喝雞尾酒聊天，兩個月後，他們各和自己的男女朋友說再見。胡佳陵趕走了那個賴在她

租屋裡的『屍體』，元昊退掉原來的租約，搬進和佳陵同一層的小閣樓，住在另一間小套房裡。

他們約定，兩個人輪流，一起分擔倒垃圾的工作。兩人的小房間裡不再讓髒亂容身。他們的朋友聽說了這個愛情故事以後，決定在他們舉行婚禮時，租垃圾車當禮車，請清潔處處長來證婚，並且建議他們在喜帖上寫下感情的自白：

其實，婚姻是兩個人不斷的在製造感情的垃圾，

但總得輪流出去傾倒才行。

至於背景音樂，當然是『少女的祈禱』。

---

他會提出這個小小的邀請，

一半是因爲垃圾，

但一半也是因爲……

# 十年之約

十年來他都用這個牌子的古龍水，
他說，即使紅塵滾滾，人世雜遝，她也可以從這氣味分辨出他來。

在東京附近的古都鎌倉的附近的江之島附近，他看見她的身影。照理說，從小車站走到這兒，一段不算遠的路程，很費脚勁才是，她竟還能穿著一雙兩吋半的高跟鞋，老習慣不改。

穿著大衣的嬌小身子在朔大的海風中，好像一枝被風打出滾滾波痕的荷葉。她忙著撥開覆住眼睛的短髮。

『燕兒。』他大叫一聲，急忙奔過去，『等我很久了嗎？』因爲這兒沒人會說中文，沒人認識他，他說話中氣十足。

『三十分鐘。』她的眼眶中有淚。他懷疑，剛剛她以撥髮的動作悄悄的拭乾了淚水，『還好……沒關係……』

『對不起。』他環住她的腰身，抱著她轉了一圈，像久別重逢的戀人。

太陽剩下一抹紅輪，她依著他的肩，說：『走，現在過去吧，待會兒太陽下山，我們恐怕就要走在被瘋狂海浪聲包圍的黑夜裡。』

『有我在，怕什麼？』

橋下果然像有千百個海怪用力拍擊著橋墩似的，她閉上眼睛，感覺到世界上只剩下他們兩個人。他替她拎了行李，挽著她的腰，他們先去了島上的七福神廟，共同許了願望。『很靈驗的！』他對她揚了揚

---

十年來他都用這個牌子的古龍水，
他說，即使江塵滾滾，人世雜遝，
她也可以從這氣味分辨出他來。

眉，頑皮的笑道。之後他們環著島找溫泉旅館，路旁的商店正在打烊，小商店的鐵門在他們身後嘩嘩拉下，夜色終於來襲。道路兩旁小小的溫泉旅店泛著奶油色的燈光，每一盞都在吸引他們走進，像蠟燭，吸引飛蛾。

『這一家吧，我看過旅遊書，這家的活魚懷石料理，是有名的，待會兒可以飽餐一頓，餓嗎？』他問。

『嗯。』

不只是胃的空虛，還有別的。她的身體早像一座井，在底層的某個地方，源源不絕的湧出溫暖的泉水，等待有人汲飲。好不容易食不知味的吃完了一盤又一盤複雜的晚餐，一群穿和服的婆子七手八脚收

了盤子，也不管他們聽得懂聽不懂，向他們說了一堆話才鞠躬離去。

『她們說什麼?』她問他。

『今夜風大，好生安眠之類。』他笑道：『她們還說，我們是珠聯璧合的一對玉人。』摟過她的肩。『我想先洗澡。』她說，拿了浴巾，掙脫他的懷抱，逕自向冒著煙氣的古老浴室走去。她也不懂自己的心理，爲什麼盼了一年才盼到這麼一天，偏偏每次都愛和他玩躲躲藏藏的遊戲。他緊緊跟著她，把她閤上的門拉開。他抱著她嬉笑滾進浴池裡，和式睡衣溼透了，淡淡的碳酸味撲進她的鼻子，混和著他的古龍水味道。十年來他都用這個牌子。他說，即使紅塵滾滾，人世雜遝，她也可以從這單一的氣味分辨出他來。不變的濃重麝香味是向她傾訴

---

十年來他都用這個牌子的古龍水，
他說，即使江塵滾滾，人世雜遝，
她也可以從這氣味分辨出他來。

他單一的愛、不變的思念。

雖然不能成爲一對公開的戀人。

有時她覺得很遺憾，兩人搭配得天衣無縫，爲什麼偏偏不能結成夫妻？有時也很慶幸，眼看身邊的佳偶們紛紛成了怨偶，還好，她想，就因爲他們兩人相處的時間得來不易，所以在一起時只能放肆的享受彼此，沒有時間讓無聊與怨恨侵略他們的愛情。

也許他們終將成爲一對，在千辛萬苦之後，那樣費盡力氣得來的愛，才是最甜美、最值得珍惜的吧。她迫不及待等候那一刻的到來，但仍以最大的耐心忍受。

『妳不知道我有多想妳。』他咬著她的耳朵說，『每一個晚上，當

我躺在她身旁時，我都幻想她是妳，那麼，我們就可以夜夜春宵……』

『別提她，好嗎？』她的眉頭皺了一下。『對不起。』他立刻說，吻如雨下，印在她被熱氣燙成玫瑰色的臉頰上，每一個細胞彷彿都因他的體溫而沸騰。好像有青苔在她光裸的背後滑動，他使力推著她，按著她的肩，把她逼向牆角，灼熱的呼吸好像要把她燒成灰燼。

『本來是十年之約，現在我們……的夢……還沒實現……』她呻吟著，『恐怕要等上十年……我……我才能成為你的妻。』

『那我們也創造了世界上最堅強偉大的一種愛情，』他說，『這樣妳滿足嗎？』

『我……嗯……我……想早日……公開。你知道，當我看見你和

---

十年來他都用這個牌子的古龍水，
他說，即使江塵滾滾，人世雜遝，
她也可以從這氣味分辨出他來。

她一起出現的第一秒，我……就愛上你了……』

『我知道，』他也肯定的說，如果沒有記錯，這句話他向她說了許多次，『當我看見妳和那老頭一起向我走來，我就明白，妳終將是我的人……』

『噢，別提他們……』叫燕兒的女人臉上又出現一抹嫌惡的表情。『他們除了讓我們相識之外，一無是處。他們害我們必須千辛萬苦找機會，到國外陌生的地方才能碰頭，害我們像牛郎織女——』她一邊說，一邊以越來越快的頻率撼動他的身體，他的汗水和凝結的蒸氣一起滑落在她的肌膚上。

『我想要早一點……公開！』在最愉悅的那一陣熱流來臨時，她

發出真誠的吶喊。這是她方才在七福神面前許的願望。

『你們已經公開了。』一個冷冷的聲音說，說的可不是日文。

他們一起望向浴室的門。氤氳霧氣中，出現一對白髮皤皤的男女，他們是潘氏企業各持一半股分的兩兄妹，也是他的妻和她的夫。她是哥哥的第三任妻子，他是妹妹的第二任丈夫。

她的身子感到空前的乏力，他也以死魚般的眼睛凝視著她。『完了！』眼神交會時，兩人的眼睛無聲的說。十年的時間，白費了。

『我是對的，』妹妹望著哥哥，臉上的表情很複雜，『我早覺得，每次他們出國都有交會的可能，你還不信？看，男人沒有女人的直覺準確吧！』

---

十年來他都用這個牌子的古龍水，

他說，即使江塵滾滾，人世雜遝，

她也可以從這氣味分辨出他來。

哥哥撇著嘴，一副不服輸的表情，然後對躺在地上，全身無所掩蔽的一對男女冷冷笑道：『可惜，你們的投資血本無歸了，我們已經知道了。』

公開的時候並不恰當，所以滋味並沒有想像中美好。他們的『棺材板』計畫，在辛苦十年後泡湯。當初，看上潘氏兄妹都無子女，兩人決定放手一搏……

只聽見狂笑般的風聲，她企圖讓自己感覺自己正沈浸在一個淒美故事的尾聲……

In A Mist

任採珠的人來了又走，
任潮汐漲起又落，
我的愛是珍珠密密藏在
緊封的殼，
而深海把一切都淹沒。

..................Edith M. Jhomas

Love

# 跌跌撞撞說感情

《懺情詩之四》

我的愛情和別人不一樣，
我的愛是隱密的創傷。

# 賠錢貨

他第一次這麼大膽的表白，
幾秒鐘的動作幾乎耗盡他一輩子的勇氣。

不愛則已，一愛就會破財。愛上怡人，從小被爸媽教成鐵公雞的林福成開始爲自己花錢買東西。

怡人是他們那所鄉下國中裡成績最優秀、氣質最好的女生，學校裡每個男生都喜歡怡人，但也沒有人敢追她。戴著眼鏡、清清秀秀的她實在太高不可攀了。不只成績好，演講、朗讀、書法、水彩等各種比賽，第一名都非她莫屬。誰敢『猜想』她？學校裡沒有一個男生，可以和她分庭抗禮。

國三分班，成績還不算太差但其他一無所長的福成，有幸和怡人分在同一班，由於個子長得小，他的座位又剛好分在怡人旁邊。

他發現她確實是與衆不同的。下課十分鐘，大家好不容易有時間吃零嘴、聊聊天，她總是靜靜的看著書。這個舉動使除了參考書和教科書外，不知書爲何物的福成無比好奇。

小鎮方圓十公里內只有一家書店。身爲忠厚農家子弟的福成，家裡除了農民曆以外，從沒有一本書。剛開學時，他偷偷注意怡人的一舉一動，對她津津有味看的書感到好奇。什麼書那麼好看？他決定去買一本來。

一個月沒吃零食的他，揣著縐巴巴的鈔票，結結巴巴的問書店老

---

他第一次這麼大膽的表白，

幾秒鐘的動作幾乎耗盡他一輩子的勇氣。

闆：『喂……你……你們……有沒有……賣……水……許……傳？』

『水許傳？誰寫的？』

『不……好意思……』福成搔搔頭：『我……沒看清楚。』

老闆說，沒那本書。第二天，福成紅著臉跟怡人借。

『水許傳？』怡人噗哧一聲笑出來：『是水滸傳，唸虎，ㄏㄨˇ，不唸許。』

這就是他和怡人的第一次交談。

之後他因自尊心作祟，努力充實國學常識和課外知識，看完《水『滸』傳》後，他又學她買了《歷代詩詞名句賞析》和《成語辭典》，有了些學問後，他比較少出錯，除了有一次他把《窗口邊的小荳荳》，

說成『窗口邊的小甜甜』，被書店老闆訕笑了一陣。

坐在她身邊，福成的成績越來越好，使他眞正領悟到『近朱者赤，近墨者黑』的眞理。不過，除了偷偷在一旁愛慕怡人之外，福成也不敢有任何表示，畢竟沒有一個男人願意讓自己有『高攀』的感覺。

托她的福，福成考上第一志願的高中，怡人當然也考上了第一志願的女校。這時福成開始寫信給怡人，不是情書，寫的也不是情話，說起來比較像筆友。他按月向她報告他讀的書。這時他已大有長進，幾乎可說是四書五經都讀過，外加中西文學都貫通。怡人偶然會回幾句話，告訴他，她對尼采的意見與他大不相同；有時會和他交換一些名句，比如像福克納所說的：『作家必須告誡自己，最卑劣的情操莫

---

他第一次這麼大膽的表白，

幾秒鐘的動作幾乎耗盡他一輩子的勇氣。

過於恐懼，佔據他的創作的應該是自古至今的眞實、情感、愛情、榮譽、同情、自豪與憐憫，少了這些眞實的情感，任何故事只是曇花一現。』

他知道怡人立志要當作家。她曾把自己在校刊或報刊上中學生園地中寫的文章寄給福成。爲了表示自己也非泛泛之輩，讀書已讀到骨子裡去，福成也開始投稿，然後得意的把印成鉛字的文章影印一份給怡人。這時他們的友誼層次已經提升到『以文會友』，不過，看到文章發表及收到稿費的喜悅並比不上她的一句讚美。

福成並沒有告訴她，他投稿榮獲刊登的機率是十比一。每刊出一篇，至少會退回來九篇。

大學考上第一志願後，他知道他的機會到了。怡人不知道爲什麼，並沒有考上公立大學。後來她告訴他，是失戀的緣故。失戀？對象當然不是他。她跟誰談了戀愛呢？不問則已，一問就會傷心，他不敢問。

她回他的信仍然很認眞，但當他來找她時，她和他總是『處之淡然』，只願在她學校的宮燈大道附近散散步（而且她總是東張西望怕有人看見），他若開口邀她出遊，一定會被拒絕。邀了幾次，福成也就死了心，怕再讓自己傷心。

爲什麼會這樣呢？福成每天照鏡子，看自己看得很習慣了，實在想不到自己爲什麼會被拒絕。他以爲只是時機未到。大三那年，怡人給他的某封信中滿是失意的牢騷，又說他是她『眞正的朋友、永恆的

---

他第一次這麼大膽的表白，

幾秒鐘的動作幾乎耗盡他一輩子的勇氣。

知己』時，福成以爲自己眞正的機會來了。他以爲他會像寫《新人生觀》的民初大學者羅家倫那樣，只要苦苦的等、努力的寫，情文並茂的書信和滿腔的才華一定可以感動佳人。

『往事如煙，前塵如夢，夢醒幾分迷濛；不能回頭，何必假設，思念只要錯過。』她娟麗的字跡，把幾句曖昧的詩寫在她自製的書籤上，更使他浪漫的想像張牙舞爪。

福成決定要試試看。怡人不是曾暗示他：最卑劣的情操莫過於恐懼嗎？

這一晚，夜黑風高，正是行動的好時機。穿著新T恤、新褲子和新鞋的他『心懷不軌』的陪她在校園中走著，耳朵和嘴巴和她討論《前

世今生》和《生命輪迴》，腦袋裡想的卻是何時可以『下手』。終於她走累了，選了一個位在暗處的涼椅坐下。眼看四下無人，他很快的把手繞過她的肩，在涼風把旁邊的山茶樹葉吹得沙沙作響時，他的唇很快的湊了過去……

他第一次這麼大膽的表白。幾秒鐘的動作幾乎耗盡他一輩子的勇氣。『我愛妳。』在他的嘴還能發出聲音時，他快速的說。

砰的一聲，她跌在草地上，因爲閃躲的緣故。他同時聽到『咯』的一聲，好像有什麼東西被她壓在底下。

『我……我的眼鏡呢?』她著急的彎身去找。發出咯一聲的不是一隻被壓扁的青蛙，是她的深度近視眼鏡。沒戴眼鏡的她，眼神別有

他第一次這麼大膽的表白，

幾秒鐘的動作幾乎耗盡他一輩子的勇氣。

迷濛的美感，但也充滿著怒氣。

『壓壞了。』她別過頭不看他，『才新配的。』

『我……我哪一點不好？』他在意的是自己的表現，不是她的眼鏡。她沒回答他的問題：『我跟你只能當筆友。』

『爲什麼？我們明明是心靈相通……』

此後，她再也沒給他回信。直到三年多後，福成唸完研究所考上博士班時，才又收到她的『信』，那是一張喜帖。她身旁的他，英俊挺拔，比自己高二十公分。原來心靈相通是不夠的。

『以前壓壞的那個眼鏡，還是讓我覺得很心疼，那是新配的，第二天，我花了五千元配了一副隱形眼鏡……』說了些『好久不見』的

寒暄話後，她寫道。

他識相的包了五千塊當紅包給她。

福成二十五歲以前只談過這個未完成、也沒有機會再完成的戀愛。他一直付出，沒有回報。她並沒有愛過他這個『筆友』。但他在她生下第一個孩子時，也得到了國家文學博士，不能不說是因禍得福。

當然，禮金還是免不了的。

---

他第一次這麼大膽的表白，

幾秒鐘的動作幾乎耗盡他一輩子的勇氣。

# 解語花

瑪格麗特的花語是占卜，
一次撕一片花瓣，開始數我愛你，我不愛你，我愛你……

羅芬芳發現那個漂亮男孩時，有一點驚訝，好久沒有看過長得這麼好看的男生了。

剎那間，她全身的細胞像復活了一樣，呼吸也變得急促了起來。她向她的小阿姨，也是花店的女主人做了個V字形手勢，『喂，我發現帥哥了。』

『我看是妳看店時都心不在焉！』阿姨不以爲然的說：『我老早看見他了，這幾天，他常在我們店門口看來看去。』

『眞的？妳怎麼不早告訴我？』

阿姨白了芬芳一眼：『我告訴妳幹嘛，他又沒買花！』

『妳做的是浪漫的行業，不要這麼現實好不好？』芬芳說：『也許他是未來有潛力的客戶啊！看，他在看那一束瑪格麗特……』

芬芳沒等阿姨回話，就蹦蹦跳跳到了門口的陳列架，站在男孩身後說：『需要我幫忙嗎？』

『不……不……現在……不……』男孩竟然張口結舌，倒退了三步。『我還……還沒打算要買花……』

『沒關係，喜歡看花也很好啊。』芬芳沒話找話講，她覺得眼前這個男孩眞是可愛。年紀約莫和她差不多，二十初頭，一張娃娃臉上

---

瑪格麗特的花語是占卜，一次撕一片花瓣，

開始數我愛你，我不愛你，我愛你……

堆著羞澀的笑容。和女生說起話來，他整張臉都變得通紅。『有什麼問題的話，可以問我。』

『謝……謝謝！』

『我叫羅芬芳。』芬芳從工作服口袋裡拎出名片來，『這是我的名片，請指教，不買花眞的沒關係。』

『眞的？哦……我還……還沒有名片，我還……還在大學唸書……』男孩說：『我在附近……附近做家教……每天……』

『沒關係。』芬芳想，大學生這麼勤奮的眞是不多了，對這男孩又多了幾分好感。

『我可以問妳一個問題嗎？這是什麼花？』

『哦，是瑪格麗特。』

『妳知道……它代表什麼意思嗎？』

原來他想知道的是花語，多麼纖細的男生！可惜，考倒她了。芬芳才剛踏入這一行，算是學徒而已，目前她的工作是接訂單和數鈔票。

『我明天告訴你好嗎？』她靈機一動。

『好。』男孩的臉滿是感激，向她道別。

芬芳回店裡問小阿姨，小阿姨正蹲在地上整理一盆鐵線蕨，長頭髮垂到地下，她指著櫃台上的書對芬芳說：『那邊有書，自己去查。』

『日文？饒了我！』小阿姨是日本女子學院畢業的，架上放的專業書籍都是日文書。平常很少跑書店的芬芳只好自行去買了一本中文

---

瑪格麗特的花語是占卜，一次撕一片花瓣，

開始數我愛你，我不愛你，我愛你……

版。

『瑪格麗特的花語是愛的占卜，從前歐洲的女人拿它來當占卜花，一次撕一片花瓣，開始數我愛你，我不愛你，我愛你……』

『哦，這花太可憐了。那不適合，』男孩又羞澀的笑了，『那種是什麼？』

這回，他指的是高大的天堂鳥。芬芳搖搖頭，這人總不會叫她把一本書都背出來吧？

『明天告訴你。』芬芳又巧妙的定下第二次約定。天堂鳥的花語，戀愛中的男人。多麼美好的暗示！芬芳陶醉的想。

『那也不適合，』又過了一天，男孩紅著臉說。『那這個呢？』

這回他指的是滿天星。芬芳又決定在第三次『約會』中告訴他。以後的每個黃昏，就是芬芳一天中最有精神的時刻。男孩在上家教課前都會來。他總是穿著長袖的白T恤和牛仔褲，站在花架前對她微笑。

芬芳總得壓住自己的臉紅心跳。她孜孜不倦的告訴他，滿天星代表喜悅，水仙花代表自戀，星辰花代表永不變心，日日春代表友情，百合代表莊嚴，金魚草是愛出風頭的，粉紅玫瑰是初戀，黃玫瑰是珍重再見。

她幾乎背下春季所有花朵的花語。除了星期六和星期天外，男孩每天都到，問她一種花的花語。

小阿姨看她到太陽快下山時就開始背書，坐立難安的樣子，笑她：

---

瑪格麗特的花語是占卜，一次撕一片花瓣，

開始數我愛你，我不愛你，我愛你……

『我看妳是醉翁之意不在酒。』

濃濃的眉，薄薄的唇，細細長長的眼睛。沒錯，他就是芬芳日思夜夢的白馬王子典型。

直到二月十四日西洋情人節那一天。從來不買花的男孩，第一次勇敢的走進店裡，看著芬芳，結結巴巴的開始說話：『今……今天……生意很忙哦？』

『對啊。』芬芳知道——她和他已經有了默契，雖然她不知道他想說什麼，但她了解，他一定有特別的話要說。

『妳們店的……另一位小姐呢？』男孩東張西望。

傻瓜！你還眞害羞。『和業務送花去了，今天很忙哪。』

『只有妳一個人在？』

『嗯。』芬芳的心像在跳芭蕾一樣。他想對她說什麼？

『那我就放心了。』男孩掏出一張千元大鈔：『我想買一千塊的粉紅色玫瑰……』

初戀？『送給……如果我送給賣花的人花，會不會太唐突？可是我想不出有什麼東西更可以配上她的氣質……』

芬芳的心簡直要破胸而出——傻瓜，花這冤枉錢——

『再適合也不過了。』芬芳幾近喃喃自語。剎那間，她被幸福的龍捲風吹得昏天暗地。

這個晚上，眞是她有生以來最值得活的一個晚上。芬芳想。

---

瑪格麗特的花語是占卜，一次撕一片花瓣，

開始數我愛你，我不愛你，我愛你……

『可是我不知道她叫什麼名字——就是那個和妳一起工作的女孩，頭髮長長，氣質很好的那位，』男孩這次說話並不結巴，這是他藏了很久的心事啊，『我想送她花……眞的很適合嗎？妳可不可以幫我包得特別一點，喂……妳在聽嗎？喂……』

# In A Mist

如果有人問起，就說我已遺忘，
在很久很久以前，
它像花，像火，像無聲的腳印，
藏在被遺忘的雪間。

....................Sara Tesdale

## 也想不牽掛

《懺情詩之五》

忘記它，像忘記一朵花，
像忘記煉過純金的熱焰，
永遠永遠的忘記，
讓時間成良伴
使我們變成老年。

# 二十五孝

他一回家就會到祖先牌位那燒炷香、三鞠躬，
他想母親一定會原諒他這個孝順的兒子吧?!

李長泰發現，這幾年來，父親越來越不對勁了。

六年前，他那長年臥病在床的母親撒手西歸，他的父親還像個沒事人似的。大家要父親『節哀順變』，他還故作開朗的說：『一個人躺在床上那麼久，也是一種折磨，不如早一點向佛菩薩報到，到西天樂土去。』

大家都說，像他爸這樣的現代老人家，一切獨立自主想得這麼開，又一點也不煩人，是子孫的福氣。李長泰的父母雖然吵吵鬧鬧一輩子，

到底還算是伉儷情深，他的母親一走，父親豈會不傷心？只是不想讓子孫擔心而已。

可是，父親這些日子來，一張嘴越來越沈默，一張臉也越來越悶悶不樂，半夜似乎都睡不著，可以聽見他不斷在家中來回走動的聲音。除了腳步聲之外，還有嘆息和咳嗽的聲音。

『爸爸似乎有心事。』李長泰的新婚妻子秀婉一邊摺衣服，一邊對看棒球比賽的李長泰說。

李長泰用遙控器關掉電視，皺著眉頭對妻子說：『妳也覺得有問題了？』

『把電視打開吧，有聲音比較好，免得爸爸在房裡聽見。』秀婉

他一回家就會到祖先牌位那燒炷香、三鞠躬，

他想母親一定會原諒他這個孝順的兒子吧?!

神秘兮兮的說。『有一天，我到爸房間幫爸整理衣服，竟然在他的衣櫃找到……找到……』

秀婉欲言又止。『說嘛，有什麼不好講？』

『我找到一大疊……一大疊……像花花公子那種雜誌。』

『那有什麼了不起？』雖然這麼說，擔任『至聖先師』職位數年的李長泰不禁有點臉紅心跳：『我……我有時候……也……也會買……』

『我知道，可是爸買的跟你藏在床墊中間的那種不……不太一樣，你買的那個……和爸買的那個比起來，是純……純藝術啦。』原來李長泰自以爲神不知鬼不覺的秘密，秀婉全都瞭然於心，只是不曾

說破而已。

李長泰頓時覺得非常感動，自己的妻子是多麼溫婉賢淑善體人意。他眞是三生有幸。

他猜出秀婉話中的意思。

趁他父親晚上帶狗出門散步，他和秀婉混進老爸的房間把那些書報取出來，哇噻不得了，他那做了一輩子公務員的老爸竟然那麼喜歡看三級的書報，不只這些，他們還在他的書桌最下方的抽屜發現一堆超R級的錄影帶。

『你懂了嗎？爸有點不太正常。他可能是——慾求不滿，媽都去世那麼多年，爸……年紀還不到七十歲，難免會——』秀婉說。『男人

---

他一回家就會到祖先牌位那燒炷香、三鞠躬，

他想母親一定會原諒他這個孝順的兒子吧?!

光看這些黃色書刊就會滿足嗎？』

這個問題讓李長泰想了十分鐘之久，最後他做出否定答覆：『不，不一樣，對男人來說，幻想的和眞槍實彈的，感覺不一樣。』

怎麼辦呢？夫妻倆心照不宣的幫老爸物色對象，請熱心人士帶老爸參加『長青派對』，也請過一些目前已單身的歐巴桑到家裡來，不過，『我愛紅娘』的招數似乎並不管用。李長泰的父親還是鬱鬱寡歡。

『爸看錄影帶裡的美女看多了，看老太太就變得毫無興致。』季婉嘆了口氣，下了斷語。

李長泰大膽請示，問老爸是否有意願再娶，他老爸的癡情還眞叫人感動：『你媽死時一直唸，叫我不能娶別人，以免以後埋在一起時，

她又要多看到一個女人，她一定會在地下吵得我難受，算了算了！何況，人老了，好不容易恢復單身，爲什麼還要找一個女人來管我？女人沒有不管男人的啦……我才不會那麼天眞！』

身爲孝子，還是得替父親想得周到點。

在他父親六十九歲，因避『九』字而提前過七十歲生日時，李長泰更大膽的做了個創舉——當晚，他把老爸騙進一個滿身濃郁香水味的中年女人的房間（爲了怕死去的老媽太過生氣，李長泰還故意找了中年的）——這就是他送給他爸的生日禮物。該女士當然是做這行很久的『職業高手』。

他在該棟樓下走來走去等他爸，沒想到他爸一個小時才出來，臉

他一回家就會到祖先牌位那燒炷香、三鞠躬，
他想母親一定會原諒他這個孝順的兒子吧?!

色紅潤，眼笑眉開，第一句話當然不是責備他，而是問他：『多少錢？很貴吧？』說完後，又不太好意思的低下頭來，像個青少年一樣害羞的笑。

李長泰說：『不貴，你喜歡我就喜歡。』

在他父親逼問下，他說出價碼：八千塊。他父親嘖嘖表示心疼。『以後不要這麼浪費錢，公共的就可以啦。聽說有一種比較便宜……好像在華什麼街那邊就有……』

李長泰了解父親的意思。

每兩個禮拜他都會用摩托車載父親到華某街去，除了給父親錢之外，他還會問他爸有沒有準備保險用的東西。他父親嫌他嚕嗦：『我

又不是小孩，怎麼會不知道？』

他也會跟父親約好一個地點再載他回家。當然回家後趁父親洗澡前他都會在祖先牌位那邊燒炷香，三鞠躬，他想母親一定會原諒這個孝順的兒子吧。

---

他一回家就會到祖先牌位那燒炷香、三鞠躬，

他想母親一定會原諒他這個孝順的兒子吧?!

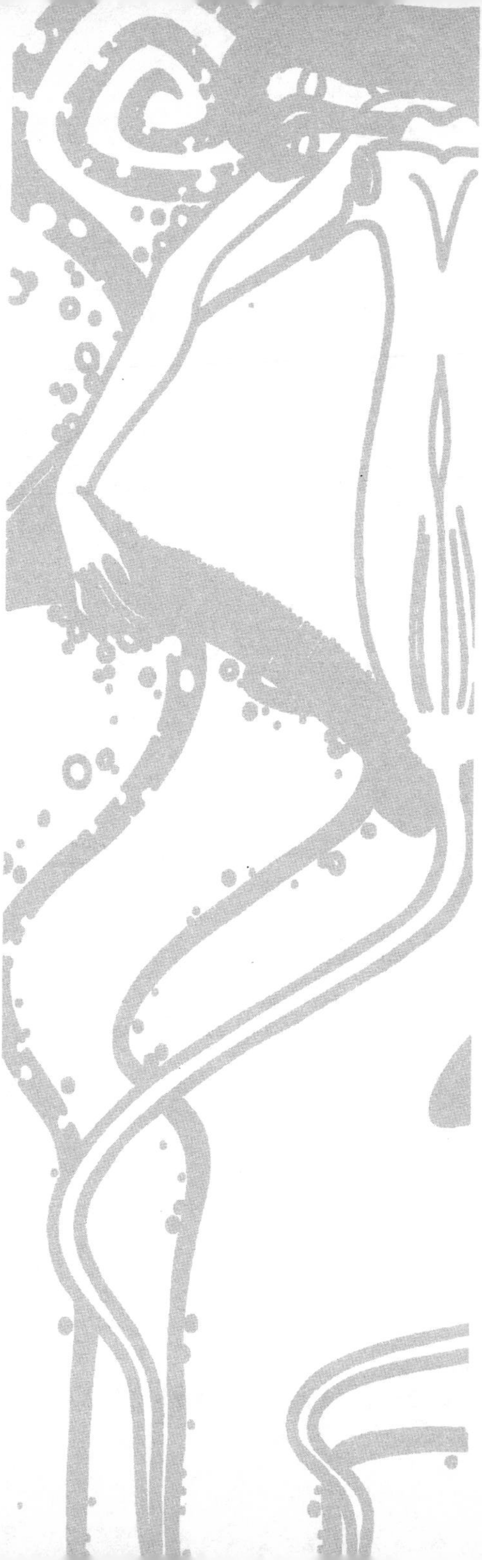

# 油炸冰淇淋

她的皮膚，好暖，但我總覺得她的心，好冰，
就像油炸冰淇淋，我想我從來不懂她……

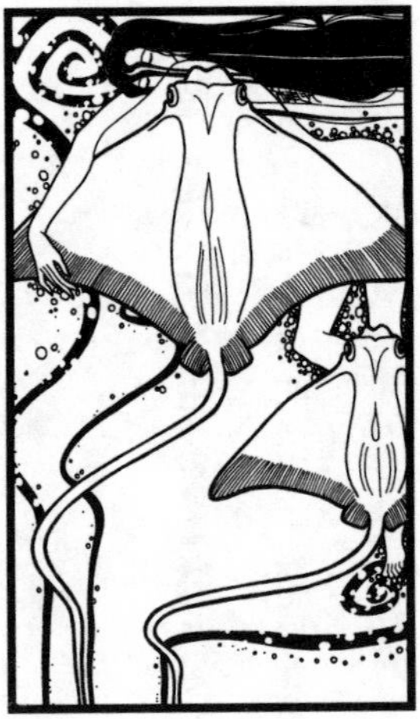

芳心是我的第一個女人。

她家就住在我們家隔壁巷子，在我唸初中的時候。我初一，考完月考那天晚上，我爸我媽一起去喝喜酒，留我看藥房，還有，監督唸小五的妹妹寫功課。

妹妹唸五年級時，連除法都不太會。『妳眞是笨得像豬啊。』我正罵她，猛抬頭，看見芳心站在藥房門口，正猶豫著要不要再踏進一步。

她是我們這一學年裡成績最好，也最驕傲的女生——她走路的樣

子總是抬頭挺胸，同時，她還是學校的女籃隊最佳球員。她不是隊長，因爲她跟其他女孩子都處不來，聽說。

『要什麼？』她來買東西，就是顧客，雖然我看不順眼她的跩，還是得一視同仁。

『要一包衛生棉。』她瞪著我說。

我彎下腰，往玻璃櫃裡找，把那一大包東西拿到枱子上來。她看見我的手在發抖，忍俊不笑。

那個年代，小鎮的女人還得紅著臉上藥房買衛生棉。民風保守的小鎮，我很少看到小姐自己來買，多半是歐巴桑才會大搖大擺的來買衛生棉，如果是男人在看店的時候。

---

她的皮膚，好暖，

但我總覺得她的心，好冰，

就像油炸冰淇淋，

我想我從來不懂她……

『二十塊錢。』我低著頭說。

她拿了就走，我來不及問她要不要包裝紙。拿在手上——不太對吧，我想。看著她旋風式的離開，那一雙健美修長的腿奔跑遠去，我的心裡忽然滋生了一種從沒有過的感覺，好像吃到一顆偷摘的李子的感覺。

我後來知道，那叫暗戀。

唸到健康教育的第十四章時，我知道女生的月經二十八天來一次——我想，她不管用得再省，每兩個月我可以看見她走進我家藥房一次。我用守株待兔的心理期待著她。

爲什麼不是她媽來替她買呢?我一直有這樣的疑惑，只是不知道

該去問誰？有一天偶爾聽見我媽和隔壁最長舌的馬媽媽在扯東扯西，說到許芳心家裡的事，說她很早就沒了媽，她媽生下她就跑了，她一個人，跟一個脾氣古怪的爸爸住在一起。

『不許到學校亂講。』她第四次來買衛生棉時，一臉兇相的警告我。

『我才沒那麼三八。』我也不太客氣的回她。『有什麼稀奇嘛，每個女人都一樣。』

她吃驚的打量我。我認爲這是第一次她眞正正眼看著我。戴著深度近視眼鏡，體型比一般國中男生瘦小的我，忽然覺得自己有一百個理由必須自卑。

---

她的皮膚，好暖，

但我總覺得她的心，好冰，

就像油炸冰淇淋，

我想我從來不懂她……

『一年九班張盛。』她輕輕唸著我制服胸前繡的字。美妙而溫柔，彷彿午夜收音機節目才會有的聲音。

放學的時候，我會著急的找尋她的影子，如果可能，我就走在她身後十公尺的地方，看著她的背影。我的同學——那些比較調皮的男生說，她走路的樣子很『正』，有時他們會故意在她背後喊『一、二、一、二，左脚右脚左脚……』

她一不小心回過頭，看到我，總像在對我微笑。只要看見她的微笑，我就覺得呆板的歷史、地理，煩人的數學都變得有趣起來，國中生活眞是好。國三開學後，我遍尋不著她的影子，馬媽媽說，她和爸爸搬到台北姑媽家寄宿了。

上高三暑假，有一個晚上我替媽媽出去倒垃圾時，有人在背後叫我的名字。我一回頭，見到電線桿旁幽幽倚著一個人，白花花的燈光全倒在她的頭髮上，那是一頭油亮如瀑的長髮。她沒在唸書嗎？我想。

芳心說她到了美國，多遙遠的所在，我連夢都沒夢過。『跟我到我家來。』

那房子租給人家幾年，變得破落不堪，還沒被搬走的家具，像難民營中飢寒交迫的難民一樣，畏縮在滿目瘡痍的房子裡。她忽然關了燈，讓窗外的月光灑在我們的手臂上，靠近我，低聲說：『張盛，你變了很多，哈，這個樣子很不錯。』

變了很多？是啊，近視度數越來越深，只好戴上隱形眼鏡，身高

---

她的皮膚，好暖，

但我總覺得她的心，好冰，

就像油炸冰淇淋，

我想我從來不懂她……

抽拔了不少，青春痘也在下巴留下『刻骨銘心』的痕跡。我不曉得事情是怎麼發生的，我抱著她，滾到沒有床單的床上，聽到壞掉的彈簧吱吱喳喳亂叫，好像床底下有一群飢腸轆轆的老鼠。

我表現差得連我自己都嚇一跳。挫折感大到我抬不起頭，我老實告訴她，我沒有經驗。她似乎有點失望，但安慰我沒關係。

『我也是第一次。』她說。她在笑。『在美國，有很多次機會，也不是沒有我喜歡的人，可是，我總想留給你，哈，可笑吧，我想讓我的初戀更完整。』

她回來幫她爸處理房子，老早找到買主了。十七歲的她已經不像台灣女生，她的成熟和幹練，叫我刮目相看。我說，第二天我會表現

好一點，可是第二天晚上，她就沒有出現在我的眼前。我在她家老房子那邊徘徊許久，回到家中，妹妹說有個女人來找我，送我一個小禮物。打開一看，裡頭是 Sting 的錄音帶。

我最喜歡其中的『白色婚禮』那一首，很熱也很冷。史汀的歌像後來我吃過的一種名菜，油炸冰淇淋，外面的麵皮是火熱的，裡面，好冰。她沒留下地址。

那捲錄音帶在幾次搬家後丟掉了。我找到差不多的，但無補於我的傷心，因爲它已經不是她送我的那一捲。

就像第一夜的感覺，她的皮膚，好暖，但我總覺得她的心，好冰。

我想我從來不懂她。

---

她的皮膚，好暖，

但我總覺得她的心，好冰，

就像油炸冰淇淋，

我想我從來不懂她……

大學畢業後，父親問我，將來想做什麼？我說，老本行，我是唸藥學系的，剛好繼承你衣缽，小藥房該有些新的改革。我把小店擴張了些，加入連鎖藥行。父母親努力的幫我相親，家鄉適婚的女子幾乎全都相過。

『沒中意的？』

他們不知道，我守著這個小藥房，是希望有一天，她會忽然想到我。雖然現在女人已經不必到小藥房，假裝毫不忸怩的，買一包衛生棉。

# In A Mist

願望在血脈中燃燒，
瘋狂在眼睛裡閃爍，
為什麼要這麼矛盾的循環呢？

..................Rabindra Narthe Tagor

Love

# 百轉千迴總是他

《懺情詩之六》

如果愛中只有痛苦，
為什麼要愛呢？
你要他的心
只因你已經痴傻的把心獻給他。

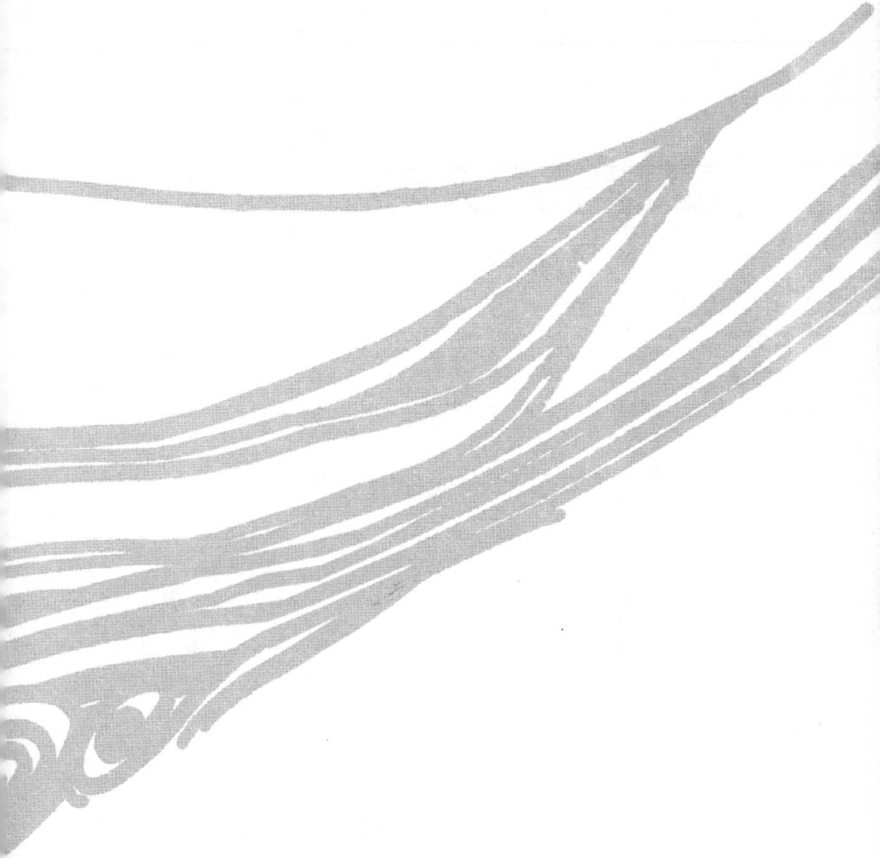

# 浪漫假期

原來，我在潛水時救了他們、在斷崖上碰到他們，
都是破壞了好事……

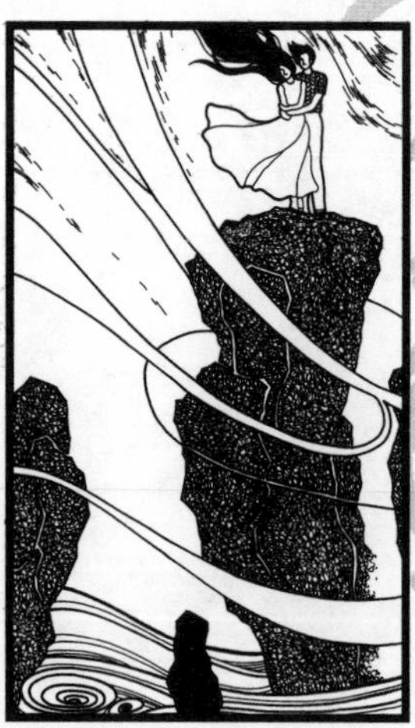

『我很喜歡大自然，尤其喜歡海，海的聲音好像可以安撫我的靈魂……』

美婷望著窗外一點也沒有污染的藍天說。

『停停停！妳不覺得妳的措詞有點噁心？』我實在聽不下去，只好善意的提醒。

美婷白了我一眼：『你不說話，沒有人會說你是啞巴。你太不浪漫了！』

『我帶妳來海邊度假還不浪漫？』我忍不住還嘴。雖然我知道，跟女人爭辯是永遠不會贏的。

坐在小巴士中的另一對夫妻默默無語，看著我們兩人拌嘴。

『什麼叫做你帶我？是我建議，我們才到這個小島來的，你呀，要是給你選，你只會去大都市，找個書店鑽進去，研究你的室內設計，哼，你根本不管我開不開心！』

『大家各取所需就會開心啊。』我堅持我自得其樂。

『嫁給你一年就這樣，將來怎麼過？你根本沒把我當「生命共同體」！』

『好啦！別吵啦，他們會笑死，看人家多安靜！』

---

原來，

我在潛水時救了他們、在斷崖上碰到他們，

都是破壞了好事……

我和美婷的婚後的『週年慶』報名參加航空公司推出的自由行，行前說好不吵架的，沒想到一上了飛機又開始拌嘴，話題還是老問題，我嫌她嚕嗦，她嫌我不浪漫。自由行的行程包含半日遊，這一批一起來的只有我們兩人和一對衣著情人裝的夫妻，坐在九人小巴士裡顯得空空盪盪，於是美婷又找機會和我抬槓。

『你們是新婚？』美婷一向好管閒事。

他們默默含笑點頭。美婷向他們做了自我介紹：『我在電腦公司工作，他是室內設計師，我叫許美婷，大家都叫他麥可，姓陸，我先生，請指教。』

『我們……我們都從商，』那個女的好不容易擠出一句話來，『我

姓施，他姓游。』

『叫妳游太太可以嗎？』

『哦？』施小姐以奇妙的眼神瞄了游先生一眼：『可以嗎？』游先生攤開手，一副不置可否的表情。

美婷覺得有點奇怪，向我使了眼色。

『對不起啊，』施小姐說：『我們各自在不同的公司工作，我一時不習慣人家稱我太太什麼的，用自己的姓，習慣了。』

『原來兩位都是大老闆。你們度蜜月嗎？』

『不，老夫老妻了。』

『那你們今天下午要不要去潛水？聽說這邊海面下有個魚洞，裡

---

原來，

我在潛水時救了他們、在斷崖上碰到他們，

都是破壞了好事……

面有好多熱帶魚，好漂亮的！』美婷又在招兵買馬，她那個人是射手座個性，不找一大堆人一起鬼混，她就若有所失。

『不不，我們不會游泳。』施小姐露出害怕的樣子。她自己經營公司嗎？看不出來。她長得很瘦，一雙腿像白鷺絲脚一般，風吹就要倒的樣子，從她容易被驚嚇的表情這一點看來，她可能有點神經質。

『妳呀，別太熱了啦，我們兩人有什麼不好的？妳嫌我？』我咬住她耳朵說。

『對，因爲你太無聊了。』她說。

做完市區半日遊後，我們向飯店租了潛水器材，我有潛水員執照，所以不須潛水教練陪伴，在海中自是樂不思蜀。美婷在海中掙扎幾次

後，決定放棄潛水，跟一大群初學者在珊瑚礁上浮潛。我樂得沒有她嘮叨，逕自向魚群游去。千百隻銀光粼粼的沙丁魚，在淺海處排成整齊的隊伍，忽東忽西，我的四周彷彿一直下著一場銀雨。不時還有小丑砲彈在我的身旁穿梭來去，忽然間，我彷彿看到一條一寸長的小鯊魚。於是我決定追著牠游過去。

海洋底下最吸引人的是它的安靜。海水像超級吸水海綿，好像可以把我這一年所聽進去的、不願意聽的聲音全部吸光，讓我的聽覺回復乾淨。這是我喜歡潛水的最大理由。

在一處光線微弱的海底珊瑚礁旁，我看到了不尋常的一連串白氣泡。天啊，有人！而且是個掉了潛水面罩的人！而且，還不只一個！

---

原來，

我在潛水時救了他們、在斷崖上碰到他們，

都是破壞了好事……

我趕緊游過去，卸下他們沈重的氧氣筒。我知道我不可能一次救兩個，只好先讓他們浮上水面，反正這邊距海面不到三公尺。

有一個人略有掙扎，重重的打了我的頭一下，你知道，快要溺斃的人是很不理性的。我不管三七二十一重重的往他腦門一擊，讓他意識清楚點。

幸運的是，游到海面時，浮潛的教練馬上看到了我們，他扶一個，我扛一個，把他們救上岸實行人工呼吸。他們很快的恢復知覺。在我的迅速動作下，看來他們沒喝兩口水。

我這才發現，他們是剛剛的施小姐和游先生。兩人嗆水並不嚴重，幾分鐘後，已經能坐起身子。兩人依舊默默無言。我想他們一定心有

餘悸。

『多虧他救了你們。』潛水教練把我推到他們眼前，他們大概是太累，沒說一聲謝。

我得意洋洋的跟美婷說了義勇救人的經過，好不容易，換得她嘉許的眼神。

累了一天，我睡得很好，但第二天一大清早，就被一臉淫意喚醒：『起來，陪我到海邊散步，多浪漫呀。』

原來美婷在我臉上覆了一條溼毛巾。『才六點呀！』我看看床頭的計時器說。

『清晨的海最美啦！陪我浪漫一下不可以？』

---

原來，

我在潛水時救了他們、在斷崖上碰到他們，

都是破壞了好事……

好吧，我揉揉眼睛，半睡半醒的陪她在晨曦中游蕩。『那邊的山崖上有海鳥，我們去那邊看看！』她抓著我的手，往海邊有十層樓高的斷崖那邊爬，爬到最高處，我們又碰見熟人。天風朔朔，吹著施小姐的裙襬。

『哈囉，你們也這麼早起？吃早餐了沒？』美婷大聲打招呼。

『還沒。』兩人轉過頭來，看來精神都不好。『我們一起吃好嗎？』美婷又問。

『哦，不不不，我們不吃早餐的。』施小姐又驚恐的說。游先生依然不表示任何意見，只是不太誠意的點頭致意。

『眞是的，踑什麼踑，何必拒人於千里之外，下次你不要救他們！』

美婷非常生氣。

當晚，我們叫了一瓶香檳，以慶祝結婚週年，開瓶器卻遍尋不著，問Room Service，他們又含糊其詞，說放在某個抽屜裡，偏偏我們找不到。

『去跟住在隔壁的游先生他們借！』美婷下了決定，自作聰明的猛按隔壁門鈴，沒人開門，她還努力不懈，因爲她堅持二十分鐘前才看見兩人牽手走進去的。猛按五分鐘後，施小姐來開門，門一開，施小姐就砰一聲往前倒，手腕上的血灑在美婷的睡衣上，對她說：『又是妳，害我們死不成！』

兩人都吃了幾顆安眠藥後割腕，我們和服務生七手八脚把他們送

---

原來，

我在潛水時救了他們、在斷崖上碰到他們，

都是破壞了好事……

到當地醫院。傷口不深，他們一下子就清醒了。美婷企圖當心理輔導老師，問他們爲什麼要一直自殺。原來，我在潛水時救了他們、在斷崖上碰到他們，都是破壞好事。

『我們想找一個浪漫的地方浪漫的死去。』施小姐沮喪的說。『以免有人看不順眼我們兩個，不讓我們在一起。』

雖然他們不是青少年，我們還是決定打電話通知他們家。

施小姐的家人粗聲粗氣的問：『這次死了沒？』

游先生的母親則在越洋電話喋喋不休的說了把個鐘頭：『誰阻止他們交往？那是十五年前的時候啦，那時他們唸初中……我才不讓他們在一起……現在誰管他們？不過我說啊，每隔一年就約了去尋死，

誰會同意他們在一起？在一起只有加速滅亡而已啦，浪漫個頭！先生、小姐，你們說對不對？』

無論如何，這個事件過後，美婷不再提起『浪漫』兩個字。

---

原來，

我在潛水時救了他們、在斷崖上碰到他們，

都是破壞了好事……

[redacted]

# 因爲寂寞的緣故

她太寂寞了，因此當門鈴響起時，
她便不分青紅皀白的請被雨淋濕的女子進了門……

寂寞從哪裡看得出來？

噢，寂寞的時候地板很乾淨。那時她正以法醫一樣的眼睛檢查著地板，企圖發現一根頭髮，或是灰塵什麼的。

什麼也沒有。地板太乾淨了。星期天早上，她已經來來回回的把磁磚地板擦了三遍，光可鑑人，她幾乎可以從倒影中看見自己無聊得快發霉的臉。僅有的幾片CD和錄音帶放了好幾遍。颱風前夕，風雨交加，不能出外做運動，無街可逛，也不想做事，不然，像她這樣的

職業翻譯者是不會沒事做的。隨時有一大本文稿在排隊。該做什麼好呢？能打電話聊天的朋友，電話都打過了。只怪自己平時太孤僻，趕稿時不要朋友打電話來騷擾，自己沒事時，就薄著臉皮不敢打擾人家太久。

五坪大的小房間，她被風關在裡頭，覺得自己是隻困獸。偏偏大白天裡，隔壁那一對男女，那張一定不太穩的鐵架床，又拚命撞擊著薄薄的木板隔間。

她幻想著他們的床撞破了隔間，一覽無遺的出現在她眼前。他們眞是樂此不疲，雖然這一樓住的都是單身女子。『房東出租房間時，表明只租給女生是沒用的。』她想。這颱風天，隔壁的女人把男友帶了

她太寂寞了，

因此當門鈴響起時，

她便不分青紅皀白的請被雨淋濕的女子進了門……

回來，使她的平靜生活多了曖昧的聲浪，腦袋裡塞滿幻想，這使她無法不發現寂寞的存在。

『起碼他們應該買一張好一點的床。』她自言自語。然後，門鈴響了。

她像中了頭獎一樣跳下床來開門，即使是刻薄可恨的房東太太也好啊。

是個女人，全身被大雨淋溼的女人，和她年紀差不多，二十出頭，披著一件米灰色的英國式風衣。『打擾妳了，』她囁囁嚅嚅的說，『我可以進來嗎？』

她太寂寞了，因此不分青紅皀白的請被雨淋濕的女子進了門，而

且給她一杯熱玫瑰茶，還有一條大毛巾。

『我今天鼓起勇氣來找妳，是因爲他……他……我再也忍不住了，我……我好委屈……』女人話未說完就涕淚縱橫。

『妳別急，有話慢慢說。』

『妳……看來人很好，一點都不像我想像的那樣子，他不在妳這裡噢。』女人左顧右盼，生怕有人藏在衣櫃裡。『這兒沒人——』她回答道。

『對不起，我忘了告訴妳，我叫愛咪……他沒有告訴妳他有女朋友吧，我眞是倒楣……』

她遞了一張紙巾給她拭淚。

---

她太寂寞了，

因此當門鈴響起時，

她便不分青紅皀白的請被雨淋濕的女子進了門……

『誰叫我愛上他呢？現在我已經無法自拔……』

『你們怎麼認識的？』她企圖理出頭緒來。

『他是我大學同學，我們原來是天造地設的一對班對，』愛咪說，『可惜好景不常，他在大三那年被退學了。』

『爲什麼？』

『他拿走他室友的金融卡，提走了兩萬塊，就這樣記了兩支大過，後來，他又放話給他那個室友，說要扁他，訓導處又送給他一支大過，於是他就只好走路了。』愛咪說：『妳覺得他是不是很倒楣？』

她心裡想的是，活該！

『他因爲殘障不必當兵……』

『等一下，他是殘胞？』

『妳不知道？他的右眼幾乎看不見，十四歲的時候，跟他表哥做土製炸彈時炸傷的。』

哎呀我的媽！我看連他的家族都有問題。

『他被退學後開始玩股票，剛開始賺了一些錢，那時候他曾說他要娶我，讓我一輩子不愁吃穿，』她的淚珠閃爍著幸福的光芒，『我爲他放棄很多東西，除了他幾乎沒有別的朋友，連女的朋友都沒有，我一有空就到他那裡幫他洗臭襪子、內衣褲，整理房間，他手頭緊的話，我也會把自己的錢塞在他抽屜——』

『妳眞是賢慧呀。』

她太寂寞了，

因此當門鈴響起時，

她便不分青紅皀白的請被雨淋濕的女子進了門……

愛咪受了讚美，更加滔滔不絕，『我覺得自己做得很完美，可是他再三背叛我！有一次，我走進他房間，發現他和一個濃妝豔抹的女人——一個色情行業的女人躺在床上；有一次他和一個股票交易員有一腿被我抓到把柄，妳看妳看，我多麼寬宏大量……

『我爲他放棄唸我考上的研究所，因爲怕他有自卑感；他又叫我放棄好不容易得來的國中教職，幫他玩股票。我雖然不喜歡，但都依他。前幾天他把我那裡所有的錢調走，說是要拿來給妳做期貨比較好賺——』

『可是我……我……』

愛咪沒讓她有說話的機會：『妳聽我說，他是個花花公子，他很

花心，也沒品行，前不久他還跟他堂嫂一起在賣安非他命，妳最好離他遠一點，張小姐，我爲他付出太多，我已經無法自拔，妳把他讓給我吧，我求妳——』愛咪忽然雙腿跪地，使她頓時不知所措。

『愛……愛咪，這麼爛的男人妳還要？』她不客氣的說。

『我……沒辦法呀，我沒他活不下去，求求妳……我好寂寞……』

『愛咪，我不是張小姐，我不認識妳的男朋友。』她大聲說：『我姓李，妳別張冠李戴。』

換愛咪兩眼茫然。『我找錯人了？』愛咪臉上滿是怒氣：『那妳爲什麼要一直聽我說？』

『因爲……大概我也很寂寞。』她笑了笑，聳了聳肩。

---

她太寂寞了，

因此當門鈴響起時，

她便不分青紅皀白的請被雨淋濕的女子進了門……

兩人無言的相看，收音機正播著瑪丹娜的新歌『你必須愛我』。

『保重。』她送走了愛咪，說：『再連絡。』送走愛咪後，她想到住隔壁的那個女人，好像在期貨公司上班，姓張，但她不想追出去跟愛咪說。對隔壁那個男人而言，眞是認眞的女人最美麗。

她看了看地板，剛剛愛咪進來時，幾絲長髮掉在地上。她想，哈，又可以再擦一次地板了。有時寧願寂寞。

# In A Mist

我不過也只是一個孤獨的殼，
如果你緊緊抱住我，
你會聽到
大海的怒吼。

...................Lois Wyse

Love

# 只因誤會生

《懺情詩之七》

沿著海灘漫步的我，
發現一個孤獨的貝殼，
被時間的沙和海
沖擊著。

# 羅密歐與茱麗葉

女人撲進男人懷中，深情一吻，
簡直跟『亂世佳人』中郝思嘉吻白瑞德一樣……

『醫師，他們又來了！』

剛到這家醫院當住院醫師的張璜，看到兩個笑得很詭異的護士向他使眼色，還不知道發生了什麼事。

『他們……是誰？』

急診室裡衝進來一男一女，男的英挺高大，女的清瘦嬌媚，女人痛苦的呻吟，男人按著她的手腕，腕上的白紗布給點點滴滴的鮮血染出一朵一朵紅色小花。

『醫生，請你救救她，付多少代價我都願意！』

『不必付什麼代價……』張璜是個一根腸子通到底的人，他檢視了傷口之後說：『這個，血已經止住了，破點皮而已，擦點優碘就沒事了！』

『不要救我，讓我死！不要救我！』女人不斷的哀鳴，張璜這才悟出，發生了什麼事。割腕自殺，爲什麼？

『妳不會死的。』張璜越安慰女人，女人卻越哭越大聲。『讓我死了算了……』

『寶貝，沒事，我愛妳，我帶妳回去！』

『你眞的愛我？沒有別人？』

---

女人撲進男人懷中，深情一吻，

簡直跟亂世佳人中郝思嘉吻白瑞德一樣……

女人止住淚眼，忽以微笑的嘴角抬頭看男人。一幕狗血劇在張璜面前上演，由於他見少識寡，使他看得目瞪口呆。女人撲進男人懷中，深情一吻，簡直跟『亂世佳人』中郝思嘉吻白瑞德一樣。

兩個人互相揉對方的頭髮，像張璜他媽用手工在洗衣服一樣費勁。

然後，沒一聲謝就走了。

『醫生，你不要那麼驚訝，你口水都流出來啦。』護士笑張璜，『他們每個月至少都會來一次。不是割腕，就是吃安眠藥，不然就是有人裝作昏倒……啊，習慣性的啦。反正他們不會死。』

原來是玩的？而且每個月都玩？

張璜沒談過『轟轟烈烈』的戀愛，所以不曉得這樣好不好玩。不過，護士說得對，他們每個月都來一次，第三個月的遊戲相當離譜，女生的背上有一道菜刀劃過的痕跡。張璜責怪男子：『你這樣是傷害罪你知不知道？』

『他想殺我……』女人又嚎又叫，對男人拳打腳踢。

『不不……你誤會了，是她把菜刀放在我手上，叫我有種就殺她，我還愣在那裡時，她就向我靠過來……她把衣服脫了又狠狠靠過來，才會傷得這樣！』

他幫女人縫了幾針，還好傷口也不深。女人哭完，兩人竟又抱在一起，親親密密的回家了。

---

女人撲進男人懷中，深情一吻，

簡直跟亂世佳人中郝思嘉吻白瑞德一樣……

『看到他們，就知道一個月又過去了。』一位年長的護士說。

張璜是個有心人，他覺得他一定要想辦法治療女人的習慣性自虐才行。終於，他苦思了一個方法，想拯救他的男性同胞。

這一個月，女人『據說』開瓦斯自殺，昏厥著由男人送來。

『這個很嚴重，』張璜清清喉嚨說：『我必須在她的喉嚨打三個洞，插進呼吸輔助器，可能還得割掉肺部壞死的組織……』

『我不要！』昏迷的女人忽然張開眼睛。『我……我沒事了！』

『不行，還是很危險，即使妳清醒，腦部也可能有問題。』張璜拿起長長的針筒，眼看就要往女人的手臂插進去。女人跳下床，害怕的逃離。男人還在她身後，忽然向張璜說了聲謝謝。

『以後她就不敢了。』張璜向男人使眼色說。

果然，這一對現代羅密歐與茱麗葉沒有再按月來報到。

不過，事情未必如張璜想像樂觀，有一天他聽到護士們吱吱喳喳：

『聽說他們換到隔壁那家綜合醫院去了……』

『昨天，是那個男人開了瓦斯，又割了腕……』

『縫了幾針？有沒有怎樣？』

『沒啦，妳沒聽過好人不長命，妖孽活千年……』

---

女人撲進男人懷中，深情一吻，

簡直跟亂世佳人中郝思嘉吻白瑞德一樣……

# 喬治五世大街

空間一遠就變心，這種例子太常見，
何況，這種天雷勾動地火的青春戀情，熱不了多久。

『妳去過巴黎?』我該知道，以驚訝眼光問這話的人，是『別有居心』的。

人在湖南的小小鄉下，陪父親度過五天無聊探親日子的我，正興奮著車票已經到手，可以打道回府，離開這個鳥不生蛋的地方。吃過午餐，我坐在大嬸婆的搖椅上，搖呀搖，看著涇渭分明的天空。

我頂上這一塊天空是藍的，藍得連雲都捨不得來沾染，但遠遠的地方天空卻是一片亮橙，橘煙滾滾，好像有天兵天將在裡頭廝殺。據

說那邊是一個新興的化學工業區。如果風夠，從這兒還可以聞到化學藥物奇妙的芳香。

『我特愛那個香味。』大嬸婆爲我作環境介紹時說，難怪我父親的表姐妹們，都說大嬸婆神經不正常了。人在畸形的環境中，常不由自主的產生自虐的習性，我的朋友之中，也有人『特』愛聞未乾的油漆味，也有人，脫了襪子得放在鼻子前聞一聞，我並不覺得大嬸婆奇怪。何況她老了，有權利享受各種奇怪的癖好。

但我可不想在這兒待太久。待久了，不得癌症，也會得精神病。

這天下午，氣氛特別詭異，我豎起耳朵，聽到嘶嘶沙沙的腳步聲，不久，五個穿著灰黑色的衣服的女人簇擁著一團詭異的氣氛，走到我

---

空間一遠就變心，這種例子太常見，

何況，這種天雷勾動地火的青春戀情，熱不了多久。

眼前。爲首的那一個大概有五十來歲，從頭到脚審查了我一遍後，撲通一聲跪在我面前，揚起一陣沙。一顆沙掉進我的眼睛裡，磨著我的隱形眼鏡，好痛。『妳是黃家大妹子吧。』女人趁我在揉眼睛時，緊抓我空著的那隻手。

『您一定要幫我一個忙，一定要……』她點頭如切洋葱，我傻呼呼的看著她。

『妳是誰？』

『她是妳爸爸的表姐的舅媽的女兒的小學同學……她的女兒昨兒個差點上吊自殺，妳可得幫她一點，救人一命，勝造……』說話的是個四十多歲的女人，在這幾天的『省親大會串』中我恍惚依稀見過的

女人。

『不急，不急，妳慢慢說。』

依我當多年記者的經驗，我馬上想到，三姑六婆們遇到急事時，即使在妳面前比手劃腳一小時，也說不出事情的重點，何況有這麼多個？果不其然，後來我只有『命令』其中一個口齒清楚的陳述這個事件。

『張嬸她女兒，長得挺漂亮的，在化工廠做工，愛上一位打上海來的青年，兩人糊裡糊塗就那個了，當了沒被批准的愛人。好景不長，那個青年得了獎學金到法國巴黎讀書，說好將來會把她弄過去的。他從上海走前，還把地址告訴她，要她寫信去，沒想到她寫的信，都被

---

空間一遠就變心，這種例子太常見，

何況，這種天雷勾動地火的青春戀情，熱不了多久。

退了回來。前天，她的十封信一起被退，她就趁她娘沒看見，在樑上綁了繩子，還好他們家那隻靈犬小黃，汪汪叫了幾聲，把她娘喚來了，才從閻王那兒把她的魂請回來。說起那小黃狗呀，牠可是……』

停停停！人命關天，妳又說到狗那兒去了。

『現在我們家姑娘躺在床上，什麼都不吃，快要死了，聽說妳去過巴黎，請妳去安慰她……』

去過巴黎就能安慰她？

張嬸又掏出一張照片：『妳在巴黎有沒有看過這小子？他叫施強……認不認識他？』

『巴黎有一千萬人呀，老天！何況我只去過三天……』不管我怎

麼申辯，她們還是把我當成良醫，我只有在她們的前簇後擁下跟著走，不知不覺踏進橘色雲的勢力範圍。

『我們這兒的天空美，是吧！這是大建設，巴黎有沒有？』張嬸的一名嘍囉問。『沒有，沒有……』我慌忙答道。又窄又長的碎石路兩旁，一隻黃狗肚皮朝天磨擦著地，我想那必是靈犬小黃。蒼蠅嗡嗡聲在我耳後不斷盤旋，空氣中有刺鼻的苯味。

在陰暗的小房間裡，我看到躺在床上的小姑娘，她面容憔悴，但頭髮仍梳得很整齊，好像隨時在等待情人來探病似的。『這是黃小姐，她曾經去過巴黎……』

少女的眼睛像剛剛被點亮的油燈。『巴黎？』她看著她媽，『那她

---

空間一遠就變心，這種例子太常見，

何況，這種天雷勾動地火的青春戀情，熱不了多久。

可認識……』她娘搖搖頭，她又垂下頭去。『有心事告訴黃姐姐，她說不定可以幫上忙……我出去了！妳們慢慢聊。』

就當來做心理醫生吧！我安慰自己。她抓著我的手，淚珠簌簌而落：『我以爲他一定會娶我，才當他愛人的，不然，我不會，也不敢做不敢跟娘說的事……我，不是故意犯罪……』

『妳沒有罪。』我故作鎮定說。她又哭道：『他跟我說，他到法國會先寄居在朋友家的閣樓上，叫喬治五世大街，聽說是全巴黎最高檔的一條街，喬治五世大街一百四十九號頂樓，我每三天寫一封信去，把工資都當郵票貼了，沒想他十封一起退回來……他一定是有另外的女人了，法國女人美麼？』

她漂亮又淒涼的大眼睛望著我，使我不得不說謊：『不美，不美，高鼻子凸眼睛有什麼美，人人不及妳的一半——』

『那他爲什麼不要我，我……這一生只要他一個——』

我說了許多安慰話，無非想使她打消她的死心眼。空間一遠就變心，這種例子太常見，何況，依我猜度，男人和女孩的教育程度差很多，這種天雷勾動地火的青春戀情，熱不了多久的。

從驕陽豔豔說到黃昏，也該走了，她似乎寬心了些。張嬸熱情的進來招呼：『一同吃飯？』不不不，我受夠了這些『鄉土美食』，急忙告辭。小姑娘忽從枕頭下把信抽出來，問我：『大姐姐，妳可不可以再抽時間看看這些信，是不是因爲我只有小學程度，信寫不好，所以

---

空間一遠就變心，這種例子太常見，

何況，這種天雷勾動地火的青春戀情，熱不了多久。

他……』

我一看信封，當場愣住。不會吧？我兩眼圓睜，看著信封上斗大的中文寫著：

法國巴黎喬治五世大街一百四十九號頂樓施強先生收

她寫的是中文啊，雖然，一字不誤！

# In A Mist

現在，我明白了。
愛沒有時間與空間，
它無所不在。
我們只能施與受，
現在。

..................Lois Wyse

Love

## 錯將芳心繫錯人

《懺情詩之八》

你吻我時我向後退了，
我說：『不是現在，不是……現在。』
你非常肯定的說：
『現在。』

# 溫泉鄉是英雄塚

潛水教練告訴他：『可以讓你接近的魚通常是不能吃的……』
可惜他頓悟得太晚……

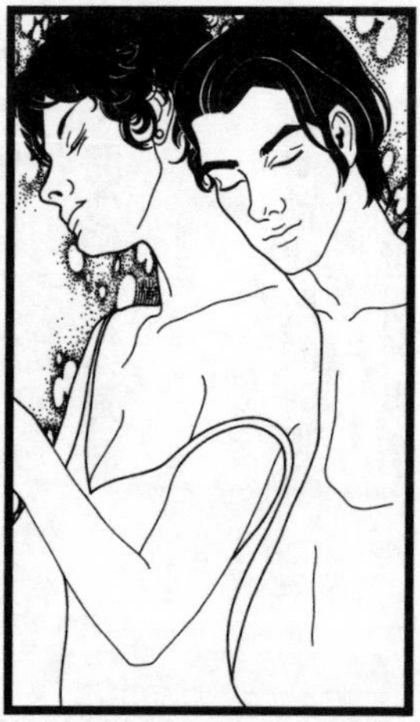

楊欽宏和朱淑玲認識不算不久。她是他同事，只不過在該大公司分開的兩棟樓工作，除了中午用餐時間之外，根本碰不到頭。

有一次在餐廳吃排骨麵，他正嫌碗中的排骨炸得像他家浴室的黑色瓷磚時，一個摩登又窈窕的身影嗒嗒嗒晃了過來，問他：『你對面有人嗎？可以坐嗎？』

本來，四個人的位子早已坐滿，只是他對面那個叫雞腿飯的阿陽還在排隊等待，楊欽宏和其他兩人卻以眼神達成共識，寧可叫阿陽站

著吃飯，也不可錯過看一個穿低胸寬大衣服的女生的機會，當下三人都誠懇的點頭說：『沒人，請坐！』

她自我介紹，在製作組工作，叫朱淑玲。『哇，我們公司有妳這麼漂亮的女生哪？』

由於菜不好吃，楊欽宏的嘴就甜心些。朱淑玲年紀很輕，但看不出來是剛出社會不久的，大概是因爲她的穿著過分成熟的緣故。坐楊欽宏隔壁的同事趁朱淑玲拿湯時對他耳語：『難怪有人對我說，製作組有一位新人，每當她彎腰時，都可以從胸口的縫透視到地板，啊，名不虛傳，如果臉再漂亮一點就好了。』

『別挑啦，』楊欽宏說，『我們公司這三年來，這種的已經算第一

---

潛水教練告訴他：『可以讓你接近的魚通常是不能吃的……』

可惜他頓悟得太晚……

名，其他嘛，長得不但愛國，而且幾乎都會製造視覺污染。』

朱淑玲返座，三個男人又正襟危坐低頭斯斯文文的細嚼慢嚥起來。由於其他兩人自我介紹時表明已婚，因而朱淑玲特別瞄了未婚的楊欽宏一眼。楊欽宏並沒有坦承介紹，他有一位已經談及婚姻大事、目前住在一起的同居女友。

『明天十二點十分，同一桌，準時？你先來就幫我佔位子？』撂下這句話，朱淑玲回眸一笑就走了，留下無限餘音。好像有個壞掉的唱片一直在對他的腦袋播放她的話語，似乎在告訴他，在他戀愛歷史上，又出現新契機。

他開始自憐起來，他的戀愛史太單調太無聊了，簡直是從一而終，

從大學以來到現在就只有這一個女友，他未曾起過二心，戀愛似乎很穩定，穩定到女友覺得不急著嫁他，反正沒有人搶他搶得走；穩定得有點無聊，不久前他看報紙，看到專家表示：同樣一對男女若做愛超過一百次，一定會覺得索然無味，他當下悵然若失，沒錯，那就是他的處境，專家說的眞有道理。

所以他情不自禁的被朱淑玲的另一種風情吸引了。每次和她吃午飯時，她總會有意無意的把胸部擠在桌子上，以嬌憨的姿態稍稍擠壓一下，讓他想起路邊攤販把新鮮的柳橙切成兩半，放進榨汁機裡，好像可以壓出一大碗甜美的汁液來，她會習慣性的揪著額前的瀏海，眼睛眨呀眨呀的，好像在對他暗示什麼。

---

潛水教練告訴他：『可以讓你接近的魚通常是不能吃的……』

可惜他頓悟得太晚……

是什麼呢？無論如何，午餐時間已成爲他性幻想的最佳時機。他一邊啃著排骨、雞腿或把油膩膩的五花肉塞進嘴裡時，一邊編織綺夢。不久他發現，公司裡的人對兩人固定共餐這件事議論紛紛，他就決定轉移陣地，改在晚間抽空約會，中午只要遙遙相思就可以。

當然，這一切都是背著女友在進行的。他告訴自己，他並沒有少愛女友一點，只是把多餘的精力拿來交一個『紅顏知己』罷了。他第一次約她，是在某個女友出差的星期天，帶她到海邊游泳。楊欽宏不否認，那是因爲他很想看到她穿泳裝。她果然穿了比基尼來，台灣女人罕有這個創舉，使他覺得不虛此行。她對他的誇口顯得相當捧場。楊欽宏肯定朱淑玲不會游泳後，就把自己說成一個傑出潛水員，其實

他只不過曾經到帛琉浮潛，他一本正經的轉述當地潛水教練的話：

『魟魚，妳看過嗎？就是那種像蝙蝠的魚，魟魚是獨居的動物，除了交配季節之外，牠們總是形單影隻——』他做了個鬼臉：

『怎麼樣？我像不像魟魚？』

她心領神會似的笑倒在他的胸膛上。他順勢一抱，握住朱淑玲柔軟的腰肢，心想，錯不了的，這女人，跟她一夜風流，應該不會有副作用吧！

加上從公司聽來的種種情報顯示，朱淑玲確實是個放浪形骸的女人。於是楊欽宏著手第二個計畫，趁女友第二次出差，邀她上陽明山洗溫泉，這一次是夜黑風高的晚上。

---

潛水教練告訴他：『可以讓你接近的魚通常是不能吃的……』

可惜他頓悟得太晚……

辦登記住宿時楊欽宏還有點忸怩，反而是朱淑玲還能和櫃台小姐談笑風生。一進了房間，他迅速解除內褲以外的衣物，很自然的邀她共浴時，事情發生了。朱淑玲退到牆角，一副如臨大敵的樣子，結結巴巴的說：『我我……我該打個電話……』

打電話給誰？楊欽宏不想多問，進浴室前，對她使使眼色說：『我等妳噢。』從門縫中他似乎聽到她打電話給閨中密友，問：『我現在跟一個男人……在溫泉旅館裡，他邀我一起洗澡，叫我不穿衣服和他一起洗呢，我不敢……我是不是很保守？』

她不只打了一通，至少打了五、六通，問同樣的話，從他入浴打到出浴，打到他裹著浴巾躺在床上睡著，猛然一睜眼，天啊，午夜一點了，她還在問那頭：

『如果我跟他怎樣，是不是會被他看不起？』

他很想問她幾個問題，可惜沒機會揷話，就這樣，迷迷糊糊的醒了又睡，睡了又醒，直到東方透出魚肚白。

他忽然想起帛琉潛水教練的另一句話：『潛水的時候，可以讓你接近的魚通常是不能吃的……』

也許很容易接近的女人，通常也不能吃。

可惜他頓悟得太晚。下山時他安慰自己：至少對自己的女友保住了貞潔，可見他也是個柳下惠般的聖人，但第二天到辦公室時，從前的飯友阿陽就到他面前拍拍他肩膀說：

『現在，辦公室至少有三分之二的人，知道你昨天晚上在哪裡！』

楊欽宏咧開嘴，不知應該選用何種嘴形來表示他的訝異。

---

潛水教練告訴他：『可以讓你接近的魚通常是不能吃的……』

可惜他頓悟得太晚……

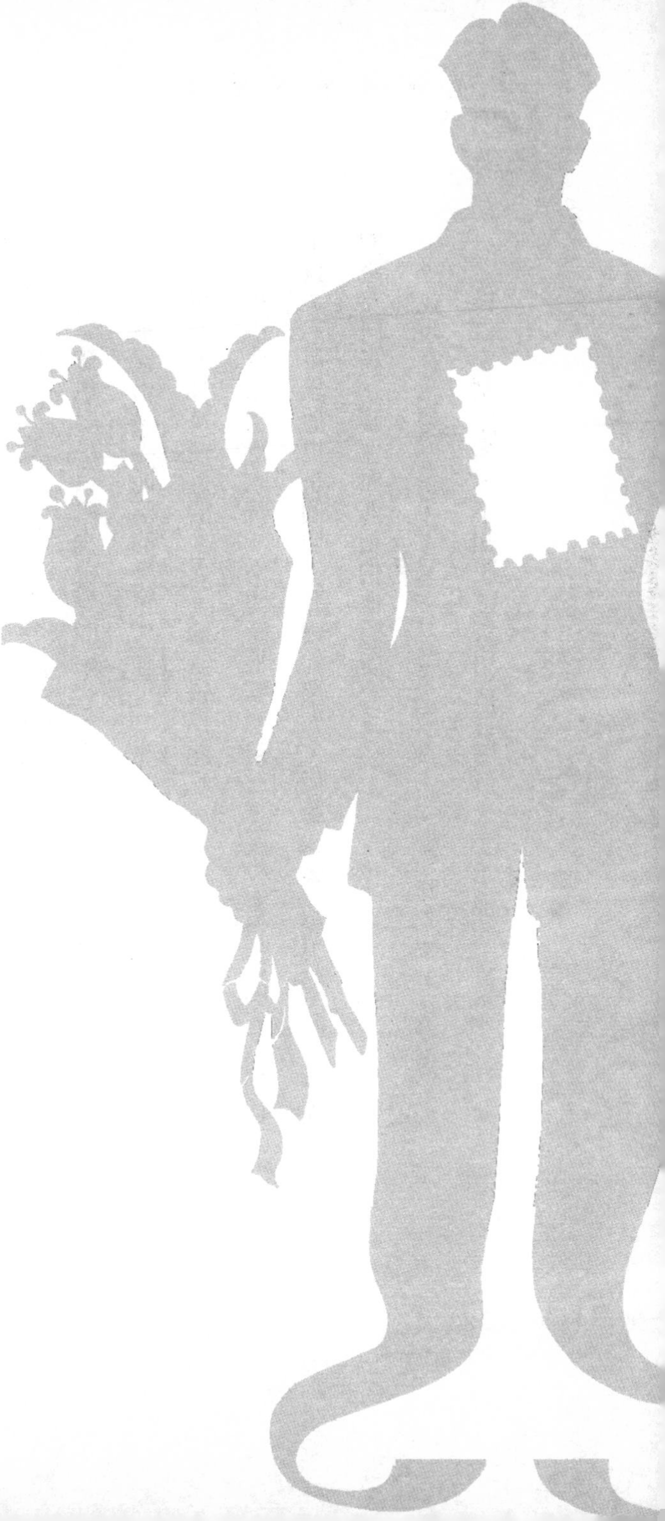

# 業餘情人

秋雯曾經發誓再也不要愛任何人，
為這個她未曾謀面、始終無法確定他是誰的人守貞。

『我曾經接過一連串的情書，』她嘆了口氣說：『我一直不知道他是誰？有一段很長的時間，我根本忘了他的存在，結婚，生子，完成一些似乎不得不做，但又不是做得很心甘情願的人生大事，一切似乎都很好，是不是？』

她的閨中密友靜鷗說：『對，一切都很好，從高中畢業到現在，十多年了，有些人結了婚已經離婚，沒離婚的很多都過著吵吵鬧鬧的生活，還有人相親相了幾十次都沒有成功，妳知道嗎？秋雯，妳是我

們之中最幸福的人，學業、婚姻，哪一樣不是一帆風順？』

『可是總是有點不對勁，我最近一直夢見他。妳記得嗎？』秋雯以探詢的眼睛徵詢從小和她一起長大的女友靜鷗：『我唸高中的時候，高三的時候，有一個人一直寫情書給我，嚴格來說，那不是情書，只是信。有一個署名「森」的人……』

靜鷗不記得了。事實上，秋雯也不記得，當初她是不是曾經將這個故事和靜鷗分享過，也許自始至終，那只是秋雯一個人的秘密，寶貴到捨不得和最好的朋友分享。

『高三的生活很無聊，升學壓力很大，而我又是很會給自己壓力，情緒不太穩定的那種人，』秋雯不斷用吸管攪拌她那杯螺絲起子：『還

---

秋雯曾經發誓再也不要愛任何人，
爲這個她未曾謀面、
始終無法確定他是誰的人守貞。

好他寫信來給我。高三下學期開始，我偶爾會在我們家信箱裡接到他的信。沒有郵票，沒有地址，他從不要求我回信，只是告訴我，他很喜歡我，他喜歡看著我穿著白上衣、黑裙子騎腳踏車上學的樣子，他說我一定是個聰明的女孩……』

靜鷗沒有接話，以略略帶著同情的眼神看著秋雯，她想，秋雯的婚姻生活是不是遇到什麼瓶頸，她的丈夫嚴頌森哪裡讓她不開心？那麼老實的一個男人，該不會有外遇吧，否則這個世界僅存的少數完美婚姻之一，又要劃下驚嘆號或句點，教她怎麼相信人間有眞情？

『我從前很自卑，大概是因爲我媽媽對我百般挑剔的緣故吧，我潛意識裡總覺得自己不行。他的讚美讓我感覺到，這個世界很美麗，

不應該那麼早灰心……』

秋雯靜靜說起當時心情，彷佛在一杯陳年的葡萄酒中游泳，哦不，她根本感覺到自己像日本梅酒裡頭的一顆梅子，柔軟香醇，原本的青澀滋味已經被發酵後濃郁的香氣逼走。

他的字句總是鑲在淺綠色的信箋上，工整的蠅頭小字敍述著他對她的印象：不是鼓勵就是讚美，他看到的她比她自己想像的還好。有時是一首簡短的詩，一句美麗的名言，比如：『願生時麗似夏花，死時美如秋葉』，比如：『當上帝爲妳關上一扇門，必爲妳打開一扇窗』，她還能一字無遺的背誦海倫凱勒的話：『當一扇快樂的門被關閉，另一扇就會打開，只可惜我們總是在關上的那扇門前駐足嘆息良

---

秋雯曾經發誓再也不要愛任何人，
爲這個她未曾謀面、
始終無法確定他是誰的人守貞。

久，而沒有看到那一扇已經打開的門』。當然那也是他寫給她的話，她沒有刻意去背它，只因讀了太多次，不知不覺記熟了。他的信成爲她高三生活的一部分，像她的書包、枕頭、制服一樣的熟悉。

爲什麼多年甘於平淡生活的她再度被記憶喚起強烈的思念？她也不明白，也許是有一天在夜裡偶爾夢見自己躺在這一個人的懷抱中，心中一陣甜蜜時，忽然被丈夫肥壯的手臂打醒。丈夫的鼾聲響徹雲霄，睡相也欠高雅，使她一夜難眠，覺得人生乏趣，從此每夜夢見那人，對過去的追憶使現實生活的面目變得醜陋萬分。

希望妳能專心讀書，考上妳心目中的第一志願，那天我們再見面，

從今起一直到聯考結束，我不會再寫信給妳了，請自珍重。

森

這是他的最後一封信。聯考後，他竟然失約，沒有再寫信來，也沒有依約出現在秋雯面前。秋雯將最後這封信多次捧讀，研究出幾個可能的原因：他爲什麼不再出現？因爲她沒考上第一志願嗎？（其實以她的成績和讀書的意願能考上大學已經很不錯）還是他自己落了榜？他在意外事故中喪生？還是他另有新歡？

每一個理由都達到同樣的效果——使她感覺到一種被遺棄的痛苦。秋雯曾經發誓再也不要愛任何人，爲這個她未曾謀面、始終無法

---

秋雯曾經發誓再也不要愛任何人，

爲這個她未曾謀面、

始終無法確定他是誰的人守貞。

確定他是誰的人守貞。直到後來認識她現在的丈夫，嚴頌森。她會和頌森繼續交往的原因，主要並非因他老實可靠，或許只因他名字中有個『森』，在她心中激起一陣漣漪。

『即使是……一夜風流也好，我的人生也就沒有遺憾。』一向文靜保守的秋雯說出這種話，到底教熟知她點點滴滴的靜鷗大吃一驚。

『妳連他長什麼樣子都沒見過吧？』

『對，就是夢見他，也是一張五官模糊的臉。』秋雯說，『可是沒有關係，我覺得他的擁抱好溫暖。』秋雯的眼神流轉，彷若談起假想情人就不自覺臉紅的少女。

『秋雯，我覺得他只是個業餘情人——』靜鷗說。

『業餘情人？沒關係。』秋雯笑著，『妳什麼時候變得這麼保守派？我以爲妳談過那麼多次戀愛，應該了解我的感受。』

秋雯沒預想到，熱心有餘的靜鷗竟然把這個業餘情人的舊情報賣給自己的丈夫頌森。

頌森從沒寫過情書，他一向認爲打電話最經濟且省事，聽到這件事，一根腸子通到底的他到底也覺得有些不對勁：沒錯，秋雯最近的眼神充滿哀怨，似乎藏著什麼秘密。

他有點生氣，但不久就安撫了自己的情緒：他自己不也曾在幾年前，熱烈的想和從前暗戀的對象見面麼？

過了一個星期，秋雯在信箱中發現一封電腦打字的情書：

---

秋雯曾經發誓再也不要愛任何人，

爲這個她未曾謀面、

始終無法確定他是誰的人守貞。

妳還記得我嗎？不知道妳過得好不好？我總想告訴妳，我一直很關心妳，只是多年來不知道如何表達。無論如何，在我偶爾想起妳的時候，心裡總是很溫暖。

森

一封沒有文采的信，秋雯的笑融解了哀怨。她豈會那麼笨，不知道這個森不是那個森？該死的靜鷗，從此以後不把貼心話對她說！

她開始期待另一封情書。雖然這個森，並不是她的業餘情人。

她恍然看見，那另一扇打開的門。

In A Mist

我也不明白，要許多年，
心中的種子才開出燦燦花朵；
多麼想要想起，你第一次握我的手時，
而我已遺忘相遇的初日。

..................Christina Georgina Rossetti

Love

## 都忘了吧！

《懺情詩之九》

都忘了吧！
但願我能記起，你我相見的
第一日、第一個小時，
那時是晴天還是陰天，是冬日還是夏日？
我不記得，只知它已悄悄流失。

# 門口的女人

門口的女人鬈髮被陣雨打濕，
好像鄰居剛洗過澡的貴賓狗，不自覺的散發出『同情我吧』的召喚……

門口的女人約莫二十五歲左右，鬈髮被剛剛才打住的陣雨打溼，好像鄰居家剛洗過澡的貴賓狗，不自覺的散發出『同情我吧』的召喚。碧艾的嘴角略略向上一勾，她知道，老掉牙的故事又發生了。

『這是……吳立文的家嗎？』女人囁囁嚅嚅的問，生怕說錯一個字似的。『妳是……』

『我是吳太太。』

女人一聽，臉上出現一抹受傷的表情。隨即低下頭，久久說不出

一句話。

『妳叫——』

『叫我Alice就好。』

碧艾臉色和善，心裡卻想，妳連眞名都不敢告訴我，太嫩了；不過，反正我也不想知道。

『我……』愛麗絲小姐說：『我……在半年前認識吳立文,他……他沒告訴我有太太，他的手上也不戴婚戒，所以……』

『他一向那樣，我習慣了，』碧艾裝出漫不經心的樣子：『他總是喜歡告訴人家他單身，尤其是未婚的小姐……沒關係，反正，只要他對我好，對孩子好，每個月薪水都交給我就行，其他我不管——』

---

門口的女人鬈髮被陣雨打濕，
好像鄰居剛洗過澡的貴賓狗，
不自覺的散發出『同情我吧』的召喚……

『妳眞的不管？』愛麗絲很驚訝，『像妳這個年代的女人，很少有這麼……心胸寬大的……』

『男人嘛，一生難免偷幾次腥，尤其是我們家先生，從來不服老，我只是跟他約法三章：第一，別讓女人抱孩子登上門來；第二，別把病傳回來；還好他找的都是良家婦女——』碧艾將眼前這可憐兮兮的，穿著日本式上班族套裝的女孩打量一遍，就斷定她很容易被打敗。

『眞的可以這樣？』愛麗絲又結結巴巴的問：『這麼說，吳立文不只一次有外遇？』

『每個月都有一次吧！哎呀，他喜歡的，都跟妳長得差不多，乖乖的，出社會不久，好像是一個模子打出來的。』這是老台詞，身經

百戰後，碧艾已經研究出來，在丈夫的外遇對象面前說丈夫不好，不如大大強調丈夫的風流，以及他對自己的好：『每一次我都知道，因爲他一出軌，不久就會買一個昂貴的珠寶給我。』

碧艾伸出左右手手指，一、二、三、四、五，上頭戴了五個亮晶晶的小東西，有鑽石有藍寶有紅寶，還有她最愛的翡翠。她像非洲戰士炫耀獵物般的展示戰利品。其實，都是她每年爲自己買的生日禮物。

光芒似乎刺穿了愛麗絲的眼睛，碧艾注意到，她眼角彷彿有淚光。

『這麼說，他到底還是個愛妻子的人……』

『人生嘛，有得有失，看妳從哪個觀點看。』碧艾又故意露出得意洋洋的表情。她想，愛麗絲一定全面崩潰了。『哦，我忘了問妳，來

---

門口的女人鬈髮被陣雨打濕，

好像鄰居剛洗過澡的貴賓狗，

不自覺的散發出『同情我吧』的召喚……

找吳立文——找我先生做什麼？』

『他在嗎？』愛麗絲四顧張望。

『不在，一早打高爾夫去了。』碧艾說。

『他的錢也是妳在管？』

『那當然，他每個月薪水都交給我，沒少過一毛。』只有碧艾知道自己說的是不是眞話。

『那太好了，』這句話出乎碧艾的意料之外：『吳太太，我是他新來的同事，昨天他出差，有人來收保險費，我先幫他墊了，今天我想和朋友逛街，口袋沒錢，到府上來要，妳不介意吧！這是收據——』

愛麗絲從口袋中掏出縐巴巴的紙，遞給碧艾。碧艾瞠目結舌，她

以爲……

碧艾沮喪的付了那筆錢，把愛麗絲送出門去，好啊吳立文，她心想，什麼時候又保了個險，也不告訴我——受益人塡的是誰？該不會是外頭的……

『吳太太，妳眞是奇女子，』愛麗絲發自肺腑的說：『萬一我老公有外遇，我一定會學得跟妳一樣堅強！』

門口的女人鬈髮被陣雨打濕，

好像鄰居剛洗過澡的貴賓狗，

不自覺的散發出『同情我吧』的召喚……

# 也許只是巧合

他們目瞪口呆的看著滿室瘡痍……
所有的抽屜都被打開了！

一清早，張延平聽到發自車庫的尖叫聲後，霍然從床上彈起身子。

也就因爲美夢被打斷了，他才記起方才自己正置身在一個綺夢之中。夢中的女人面目模糊，唯一可以確定的是，她擁有一副好身材，豐滿如纍纍木瓜的胸部，纖細而有力的腰肢，杏仁果凍般的肌膚……，就在他可能有所爲的時候，尖銳的叫聲把他拉出夢境。

好像一個飢餓的人，被猛然搶走眼前的食物一樣，一股無名火從胸腔往上燒，尤其當他的聽覺開始辨識出，聲音來自他的黃臉婆後，

他的舌頭更發出嘖嘖不耐的聲音：

『一大清早，吵什麼吵？隔壁還有人在睡覺！』

張延平向窗外咆哮。

當初是爲圖個清靜，夫妻倆才決議搬到基隆郊區的新開發別墅區來的，但從喧嘩的市中心移居到鳥鳴花香的地方之後，他才發現，生活中最大的噪音來自夫妻倆的對話，兩人說話的嗓門與婚齡成正比。

他唯一的女兒正好五歲，人小鬼大，有一天下課回家，很嚴肅的對爸媽說：『我覺得你們兩個人說話的分貝，一定可以殺死老鼠。』

啊——他的妻，毛骨悚然的聲音又從車庫傳來。

『妳要死了妳！』他實在受不了妻子的歇斯底里，芝麻小事都當

---

他們目瞪口呆的看著滿室瘡痍……

所有的抽屜都被打開了！

成天災人禍來處理。『到底發生什麼事？』

『車子，車子，車車車子……』

隔著窗，他的妻囁嚅著。

車子？車子能發生什麼事？哦不！張延平猛然記起昨晚的奇遇。

他和一群舊日同窗好友一連趕了三場應酬，到最後一家PUB時，他已爛醉如泥，彷彿依稀……

彷彿依稀有個身材很好的女人坐在他旁邊。她穿著緊身黑洋裝，低頭時可以看見顫動的乳溝，難怪他會做一夜春夢……

是那個女人攙他上了車，好像還是她開車送他回家的，說他酒後駕車危險。

但那個女人是誰呢？張延平連她是美是醜都說不出來，只知婚後多年看見妙齡少女就如同醉裡看花，雲中望月，都是美的，唯一能確定的，是她身材不錯。她只是一個在PUB裡釣凱子的女人，很有耐心的聽他在酒後胡言亂語。PUB打烊後，張延平的好友們都有幾分酒意，當然沒有人願意開那麼久的車把他送到基隆去。女郎阿莎力的說，我送他吧，我會開車……。朋友們起鬨說，你們可別把車開到荒郊野外去一夜風流……

至於他如何下車，走到床上，爲自己換睡衣這些細節，他一概不記得。

難道那個女人還在他車上？

---

他們目瞪口呆的看著滿室瘡痍……

所有的抽屜都被打開了！

想到這裡，只穿內褲的他狂奔出去。

他的妻還呆呆的站在外面。『車呢？』

顯然事情跟張延平想的不一樣，沒那麼糟，可是有點慘。車子不見了。

『昨天我明明有聽見你車子的聲音，只是我太累了，沒爬起來……』他的妻說。他的妻在他晚歸時，通常陪孩子睡。

『我……我也記得……有把車……開……開回來……』張延平說得有點心虛。

可以肯定的是，車子已經被偷了。誰偷的？可不能亂賴給昨天的惹火少女。人家好心送他回來，可能是因她沒把車子停進車庫，停放

在路旁，所以被小偷開走了。雖然張延平不記得這些細節，但他想，一定是自己告訴女郎：隨便停就好了。冥冥之中，他到底還會記得，絕不能讓歇斯底里的太太看見女人送酒意醺醺然的他回來，那豈不自投羅網。

『報警吧。』最後他的妻冷靜的下了結論。

『這……』萬一眞是女郎開走的，警察一抓到她，她硬說和他有『姦情』怎麼辦？難道他要爲自己辯護說，我不可能對她怎樣的，因爲我喝酒之後一定不行，噢，我的老婆一定會想把我分屍八大塊的！

張延平的表情顯得非常猶豫。

……也許只是她送我回家後順便開回家，不然，她在三更半夜怎

他們目瞪口呆的看著滿室瘡痍……

所有的抽屜都被打開了！

麼回去，也許今天會開到上班的地方還我吧？我給她名片了沒……

『晚點再報警，』他說，『搞不好是朋友借去了……』

『朋友？』他的妻用狐疑的眼光凝視著他的眼睛，好像在搜尋小偷的足跡。

第二天，車未還，張延平想報警的決心一分一分的增強。總不能這麼不明不白的就賠上一輛車子吧。他打了報警電話。

第三天，下班回家，車子竟出乎意外的出現在門口，他的妻用興奮的表情等待他，叨叨敍述：『我送小寶貝上學以後，車子就停在門口了，信箱裡還有一封信，你看……』

潦草的字跡寫著，他不是小偷，只是家中孩子生病發高燒，叫不

到計程車，看他的車停在路旁，鑰匙也在，於是借來一用。爲了補償他們的損失，他買了兩張音樂會的票，謝謝他的好意。

『眞是個體貼的好心人。』他的妻感動得熱淚盈眶，『不知道他的孩子病好了沒？』

自認爲做了善事的兩個人，很興奮的接受了友善的邀請。『婚後我們就沒有聽過音樂會了。』從收到音樂會的票以後，他的妻說話的聲音變得溫柔，如歌的行板。如歌的行板——他唸大學時寫給她的第一封情書，這樣形容她美麗的聲音。

相對於她的溫柔，他也把音量調小了二分之一，速率調慢了三分之一以回應。

---

他們目瞪口呆的看著滿室瘡痍……

所有的抽屜都被打開了！

好像再一次感受了愛情的魔力。

他們衣著優雅的共赴那場免費的音樂會，暫時把女兒託到爺爺奶奶家。過了風花雪月的年紀後，張延平發現，如何使自己在音樂會中驅逐睡魔是一件相當困難的事情。

『很羅曼蒂克，對吧？』他的妻問，在他的腿上擰了一下，彷彿某種暗示。他把車駛近溫暖的家，心知待會兒夫妻倆可以享受享受一個品質勝於往昔的一夜風流。

停車，熄燈，『抱我進門，嗯……』他的妻用撩人的聲音說。轉動鑰匙，電燈霎時明亮後，他們目瞪口呆的看著滿室瘡痍……所有的抽屜都被打開，很明顯的，小偷選對了時候來！

國家圖書館出版品預行編目資料

愛在曖昧不明時最美麗　/ 吳淡如 著.
-- 初版 .-- 臺北市：皇冠 1998，民87
面　；公分 ,.--(吳淡如作品；11)

ISBN 957-33-1498-3 （平裝）

857.63　　86015078

皇冠 CROWN ＜註册商標第173155號＞

皇冠叢書第二七九〇種

# 愛在曖昧不明時最美麗

作　者—吳淡如
發行人—平鑫濤
出版發行—皇冠文化出版有限公司
台北市敦化北路一二〇巷五〇號
電話◎二七一六八八八八
郵撥帳號◎一五二六一五一一—六號
登記證—局版臺業字第五〇一三號
編輯督導—盧春旭
責任主編—金文蕙
責任編輯—林吉莉
美術設計—王亞棻
內頁繪圖—林亞楠
校　對—鮑秀珍・林宜君・李靜雯
製版廠—中茂分色製版事業股份有限公司
著作完成日期—一九九七年七月
初版一刷日期—一九九八年一月
五刷出版日期—一九九八年八月
法律顧問—蕭雄淋律師、王惠光律師


電腦編號◎ 129011
國際書碼◎ ISBN 957-33-1498-3
Printed in Taiwan
本書定價◎新台幣 160 元